RUBEM
FONSECA

1963 OS PRISIONEIROS

AGIR

OS PRISIONEIROS

Rubem Fonseca

Coordenação da edição
Sérgio Augusto

Revisão
André Marinho

Capa e fotografia
Retina 78

Texto estabelecido segundo o Acordo Ortográfico da Língua Portuguesa de 1990, em vigor no Brasil desde 2009.

CIP-BRASIL. CATALOGAÇÃO-NA-FONTE
SINDICATO NACIONAL DOS EDITORES DE LIVROS, RJ.

F747p

Fonseca, Rubem, 1925-
Os prisioneiros / Rubem Fonseca. – Rio de Janeiro: Agir, 2009.

ISBN 978-85-220-1066-0

1. Conto brasileiro. I. Título.

09-5047 CDD 869.93
CDU 821.134.3(81)-3

AGIR EDITORA LTDA. – uma empresa Ediouro Publicações
Rua Nova Jerusalém, 345 – CEP 21042-235 – Bonsucesso – Rio de Janeiro – RJ
tel.: (21) 3882-8200 fax: 3882-8212/8313

Somos prisioneiros de nós mesmos. Nunca se esqueça
disso, e de que não há fuga possível.

LAO TSE, *Tao te ching*, 600 a.C.

SUMÁRIO

09 | Fevereiro ou março

23 | Duzentos e vinte e cinco gramas

35 | O conformista incorrigível

45 | Teoria do consumo conspícuo

53 | Henri

67 | Curriculum vitae

75 | Gazela

89 | Natureza-podre ou Franz Potocki e o mundo

99 | O agente

105 | Os prisioneiros

117 | O inimigo

159 | Estreia consagradora (*Sérgio Augusto*)

165 | Tendências (*Wilson Martins*)

171 | O autor

FEVEREIRO OU MARÇO

A condessa Bernstroff usava uma boina onde dependurava uma medalha do kaiser. Era uma velha, mas podia dizer que era uma mulher nova e dizia. Dizia: põe a mão aqui no meu peito e vê como é duro. E o peito era duro, mais duro que os das meninas que eu conhecia. Vê minha perna, dizia ela, como é dura. Era uma perna redonda e forte, com dois costureiros salientes e sólidos. Um verdadeiro mistério. Me explica esse mistério, perguntava eu, bêbado e agressivo. Esgrima, explicava a condessa, fiz parte da equipe olímpica austríaca de esgrima — mas eu sabia que ela mentia.

Um miserável como eu não podia conhecer uma condessa, mesmo que ela fosse falsa; mas essa era verdadeira; e o conde era verdadeiro, tão verdadeiro quanto o Bach que ele ouvia enquanto tramava, por amor aos esquemas e ao dinheiro, o seu crime.

Era de manhã, no primeiro dia de carnaval. Ouvi dizer que certas pessoas vivem de acordo com um plano, sabem tudo o que vai acontecer com elas durante os dias, os meses, os anos. Parece que os banqueiros, os amanuenses de carreira, e outros homens organizados fazem isso. Eu — eu vaguei pela rua, olhando as mulheres. De manhã não tem muita coisa para ver. Parei numa esquina, comprei uma pera, comi e comecei a ficar inquieto. Fui para a academia.

Isso eu me lembro muito bem: comecei com um supino de noventa quilos, três vezes oito. O olho vai saltar, disse Fausto, parando de se olhar no espelho grande da parede e me espiando enquanto somava os pesos da barra. Vou fazer quatro séries pro peito, de cavalo, e cinco para o braço, disse eu, série de massa, menino, pra homem, vou inchar.

E comecei a castigar o corpo, com dois minutos de intervalo entre uma série e outra para o coração deixar de bater forte; e eu poder me olhar no espelho e ver o progresso. E inchei: quarenta e dois de braço, medidos na fita métrica.

Então Fausto explicou: eu vou vestido de melindrosa e mais o Sílvio, e o Toão, e o Roberto, e o Gomalina. Você não fica bem de mulher, tua cara é feia, você vai na turma de choque, você, o Russo, Bebeto, Paredón, Futrica e o João. O povo cerca a gente pensando que somos bichas, nós estrilamos com voz fina, quando eles quiserem tascar, a gente, e mais vocês, se for preciso, põe a maldade pra jambrar e fazemos um carnaval de porrada pra todo lado. Vamos acabar com tudo que é bloco de crioulo, no pau, mesmo, pra valer. Você topa?

Sílvio já se vestia de melindrosa, pintava os lábios de batom. O ano passado, dizia ele, mulher às pampas botou bilhetinho na minha mão, com telefone; quase tudo puta, mas tinha uma que era mulher do seu bacana, andei com ela mais de seis meses, me deu um relógio de ouro.

Ele passava, disse Russo, e virava a cabeça de tudo quanto era mulher. Não havia mulher que não olhasse o Sílvio na rua. Ele devia ser artista de cinema.

Como é? Você topa?, insistiu Fausto.

A essa altura o conde Bernstroff e o seu mordomo já deviam ter feito os planos para aquela noite. Nem eu, nem a condessa sabíamos de nada; eu nem mesmo sabia se iria sair quebrando a cara de pessoas que não conhecia. É o lado ruim do sujeito não ser banqueiro ou amanuense do Ministério da Fazenda.

De tarde, sábado, a cidade ainda não estava animada. As cinco melindrosas requebravam sem entusiasmo e sem graça. Os blocos na cidade se formam assim: uma bateria de alguns surdos, várias caixas e tamborins e às vezes uma cuíca saem batendo pela rua, os sujos vão chegando, juntando, cantando, se avolumando e o bloco cresce.

Surgiu uma bateria assim na nossa frente. Seis sujeitos descalços, caminhando lentamente, enquanto batiam no couro. Moreno, meu moreno gostoso, me empresta teu tambor, disse Sílvio. Os homens fizeram uma pequena parada e pensaram, e mudaram o pensamento, a mão de Sílvio agarrou o pescoço de um deles, me dá esse tambor seu filho da puta. Como um raio as melindrosas caíram em cima da bateria. Só no tapa, só no tapa!, gritava Sílvio, que eles são fracos. Mesmo assim um ficou no chão, caído de costas, um pequeno tamborim na mão fechada. Um tapa do Sílvio arrebentava porta de apartamento de sala e quarto conjugados.

Tínhamos vários tambores, que batíamos sem ritmo. A cuíca, como ninguém sabia tocar, Russo arrebentou com um soco. Um soco só, bem no meio, fez a coisa em pedaços. Depois Russo andou dizendo que a mão dele tinha inchado de bater na cara de um malandro tinhoso na praça Onze. Eu não sei, pois não fui para a praça Onze, depois daquilo que aconteceu no aterro eu me desliguei do grupo e acabei encontrando a condessa, mas acho que a mão dele inchou foi de arrebentar a cuíca, pois cara de malandro não incha a mão de ninguém.

Uma mulher tinha chegado e dito, me leva com vocês, nunca vi tanto homem bonito junto; e se agarrava na gente, metia a unha no braço da gente. Fomos para o aterro e ela dizia, me fode, mas não me maltrata, com meiguice, como se estivesse falando para o namorado; e isso ela falou para o terceiro, e o quarto sujeito que andou com ela; mas para mim, estendendo a mão de unhas sujas e pintadas de vermelho, ela disse, homem bonito, meu bem — e riu, um riso limpo; eu não pude fazer nada, e vesti a mulher, joguei fora o lança-perfume que ela cheirava, e disse para todos ouvirem, chega, e olhei nos olhos azuis pintados de Sílvio e disse para ele, baixo, a voz lá do fundo, ruim — chega. Russo segurou Sílvio com força, o tríceps saltando como se fosse uma bigorna. Ele vai levar a mulher, disse Sílvio, puxando peito; mas ficou nisso; levei a mulher.

Fui andando com a mulher pela beira-mar. No princípio ela cantava, depois calou a boca. Então eu disse para ela, agora você vai para casa, ouviu, se eu te encontrar zanzando por aí eu te quebro os cornos, entendeu?, vou te seguir, se você não fizer o que eu estou mandando você vai se arrepender — e agarrei o braço dela com toda a força, de maneira que ficasse doendo os três dias de carnaval e mais uma semana de quebra. Ela gemeu e disse que sim, e foi andando, eu seguindo, na direção do bonde, atravessou a rua, pegou o bonde que vinha vazio de volta da cidade, olhou para mim, eu fiz cara feia, o bonde foi embora, ela arriada num banco, um bucho.

Voltei para a praia, com vontade de ir para casa, mas não para a minha casa, pois a minha casa era um quarto e no meu quarto não tinha ninguém, só eu mesmo. E fui andando, andando, atravessei a rua, começou a cair uma chuvinha e onde eu estava não havia carnaval, só edifícios grã-finos e silenciosos.

Foi então que eu conheci a condessa. Ela chegou na janela gritando e eu não sabia que ela era condessa nem nada. Gritava, uma palavra que era socorro, mas soava esquisita. Corri para o edifício, a portaria estava vazia: voltei para a rua mas não tinha mais ninguém na janela; calculei o andar e subi pelo elevador.

Era um edifício bacana, cheio de espelhos. O elevador parou, eu toquei a campainha. Um sujeito de roupa a rigor abriu a porta, sim, o que o senhor deseja?, me olhando com ar superior. Tem uma mulher aí na janela pedindo socorro, disse eu. Ele me olhou como se eu tivesse dito um palavrão — socorro?, aqui? Eu insisti, aqui sim, da sua casa. Sou o mordomo, falou ele. Aquilo tirou a minha autoridade, eu nunca tinha visto um mordomo em minha vida. O senhor está enganado, disse ele e eu já me dispunha a ir embora quando surgiu a condessa, com um vestido que na ocasião eu pensei que era um vestido de baile mas que depois eu vi que era roupa de dormir. Fui eu sim, pedi socorro, entre, por favor, entre.

Foi me levando pela mão e dizendo, o senhor vai me fazer um grande favor, revistar essa casa, há uma pessoa escondida aqui dentro que quer o meu mal, o senhor não tenha medo, não, é tão forte, e tão moço, vou chamá-lo de você. Eu sou a condessa Bernstroff.

Comecei a revistar a casa. Eram salões enormes, cheios de luzes, pianos, quadros nas paredes, lustres, mesinhas e jarras e jarrões e estatuetas e sofás e poltronas enormes onde cabiam duas pessoas. Não vi ninguém, até que, numa sala menor, onde uma vitrola tocava música muito alto, um homem de casaco de veludo levantou-se quando abri a porta e disse calmamente, colocando um monóculo no olho, boa noite.

Boa noite, disse eu. Conde Bernstroff, disse ele, estendendo a mão. Depois de me olhar um pouco ele deu um sorriso que não era para mim, que era para ele mesmo. Com licença, disse ele, Bach me transforma num egoísta, e me virou as costas e sentou-se numa poltrona, a cabeça apoiada na mão.

Para falar com toda franqueza eu fiquei confuso, agora mesmo ainda estou confuso, pois já esqueci muitas coisas, a cara do mordomo, a medalha do kaiser, o nome da amiga da condessa, com quem deitei na cama, juntamente com a condessa, no apartamento do Copacabana Palace. Além do mais, antes de sairmos, ela me deu uma garrafa cheia de Canadian Club que eu bebi quase toda dentro do carro quando ia para Copacabana, me sentindo como um lorde: mas saltei direitinho do carro e subimos para o apartamento e tenho a impressão que nós três nos divertimos bastante no quarto da amiga da condessa, mas dessa parte eu me esqueci completamente.

Acordei com uma dor de cabeça danada e duas mulheres na cama. A condessa queria ir para casa me mostrar um bicho que queria morder ela e que tinha invadido a sua casa e que ela tinha trancado dentro do piano de cauda. Voltamos de táxi, nem sei que horas eram pois estava sem fome e tanto podiam ser dez como três horas da tarde. Ela foi direto para o piano e não encontrou nada. Eu devia ter mostrado ontem, dizia ela, agora eles já o tiraram daqui, eles são muito espertos, são diabólicos. Que bicho era esse, perguntei, uma dor de cabeça terrível nem me deixava pensar direito, mal podia abrir os olhos. É uma espécie de barata grande, disse a condessa, com um ferrão de escorpião, dois olhos salientes e pernas de besouro. Eu não conseguia imaginar um bicho assim, e disse para ela. A condessa sentou-se numa das cinquenta mesinhas que tinha na casa e desenhou o bicho para mim, uma coisa muito esquisita, num papel de seda azul, que eu dobrei e guardei no bolso e perdi. Já perdi muita coisa em minha vida mas a coisa que eu mais lamento ter perdido foi o desenho do bicho que a condessa fez e fico triste só em pensar nisso.

A condessa fazia a minha barba quando o conde apareceu, de monóculo e dizendo bom-dia. A condessa fazia a barba melhor do que qualquer barbeiro; uma navalha afiada que roçava a cara da gente como se fosse uma esponja, e depois ela fez massagem no meu rosto com um líquido cheiroso; e massagem no meu trapézio e nos meus deltoides melhor que o Pedro Vaselina, da academia. O conde olhava isso tudo com um certo desinteresse, dizendo, ela deve simpatizar muito com você para lhe fazer a barba, há anos que ela não faz a minha. A isso a condessa respondeu irritada: você sabe muito bem por quê; o conde encolheu os ombros como se não soubesse de nada e foi saindo e da porta disse para mim, gostaria de lhe falar depois.

Quando o conde saiu a condessa me disse: ele quer comprá-lo, ele compra todo mundo, o dinheiro dele está acabando, mas ele ainda tem algum, muito pouco, e isso ainda o deixa mais desesperado, pois o tempo está passando e eu ainda não morri e se eu não morrer ele fica sem nada, pois eu não lhe dou mais dinheiro; e ele já está velho, quantos anos você pensa que ele tem, ele podia ser meu pai, e daqui a pouco ele já não pode mais beber, fica surdo e não pode ouvir música; o tempo, depois de mim, é o maior inimigo que ele tem; já viu como ele me olha? um olho frio de peixe caçador, esperando um momento para liquidar sem misericórdia a sua presa; você entende, um dia eles me jogam da janela, ou me dão uma injeção quando eu estiver dormindo e depois ninguém mais se lembrará de mim e ele pega o meu dinheiro todo e volta para a terra dele para ver a primavera e as flores no campo que ele tanto me pediu, com lágrimas nos olhos, para rever; lágrimas fingidas, eu sei, seu lábio nem tremia; e eu podia ir embora, largá-lo sozinho, sem nada, nem mesmo oportunidade para os seus planos sinistros, um pobre-diabo; acho até que ele já está começando a ficar surdo, as músicas que ele ouve ele sabe de cor e por isso talvez nem tenha percebido que está ficando surdo — e a condessa foi por aí afora dizendo que alguma coisa ia acontecer naqueles dias e que ela estava muito horrorizada e que nunca tinha se sentido tão excitada em toda a sua vida, nem mesmo quando fora amante do príncipe Paravicini, em Roma.

Fui procurar o conde enquanto a condessa tomava banho. Ele me perguntou muito delicado, mas direto, como quem quer ter uma conversa curta, onde eu ganhava o meu dinheiro. Eu expliquei para ele, também curto, que para viver não é preciso muito dinheiro; que o meu dinheiro eu ganhava aqui e ali. Ele punha e tirava o monóculo, olhando pela janela. Continuei: na academia eu faço ginástica de graça e ajudo o João, que é o dono, que ainda me dá um dinheirinho por conta; vendo sangue pro banco de sangue, não muito para não atrapalhar a ginástica, mas sangue é bem-pago e o dia em que deixar de fazer ginástica vou vender mais e talvez viver só disso, ou principalmente disso. Nessa hora o conde ficou muito interessado e quis saber quantos gramas eu tirava, se eu não ficava tonto, qual era o meu tipo de sangue e outras coisas. Depois o conde disse que tinha uma proposta muito interessante para me fazer e que se eu aceitasse eu nunca mais precisaria vender sangue, a não ser que eu já estivesse viciado nisso, o que ele compreendia, pois respeitava todos os vícios.

Não quis ouvir a proposta do conde, não deixei que ele a fizesse; afinal eu tinha dormido com a condessa, ficava feio me passar para o outro lado. Disse para ele, nada que o senhor tenha para me dar me interessa. Tenho a impressão que ele ficou magoado com o que eu disse, pois deixou de me encarar e ficou olhando pela janela, um longo silêncio que me deixou inquieto. Por isso, continuei, não vou ajudar o senhor a fazer nenhum mal à condessa, não conte comigo para isso. Mas como?, exclamou ele, segurando o monóculo delicadamente na ponta dos dedos como se fosse uma hóstia, mas eu só quero o bem dela, eu quero ajudá-la, ela precisa de mim, e também do senhor, deixe-me explicar tudo, parece que uma grande confusão está ocorrendo, deixe-me explicar, por favor.

Não deixei. Fui-me embora. Não quis explicações. Afinal, elas de nada serviriam.

DUZENTOS E VINTE E CINCO GRAMAS

Na sala grande dois homens, ainda jovens, sentados, esperando. Estava um em cada canto da sala e não se olhavam, como se um temesse que o outro rompesse o seu isolamento.

Vigiavam uma das portas. A outra que tinha na sala era a do elevador; no painel em cima estava aceso o número 1. O elevador também esperava.

Isso durou um longo tempo — o silêncio e a absoluta imobilidade dos homens; até que um deles verificou, sem virar a cabeça, que a luz do painel começou a correr para a direita, 2 — 3 — 4 — 5. A porta do elevador abriu e surgiu um terceiro homem, também jovem, que caminhou até o centro da sala e parou indeciso. Os dois homens sentados não tomaram conhecimento da sua presença. O que acabara de chegar correu os olhos pela sala.

"Não há ninguém para atender?", perguntou. Os outros dois não responderam.

Ele insistiu: "Tem que haver alguém", e começou a andar pela sala impacientemente. "Isso parece um cemitério"; ao dizer isso parou momentaneamente. Os outros dois continuaram em silêncio, imóveis, como se fossem de pedra. O que havia chegado por último começou a bater palmas.

Atendendo ao seu chamado, um homem de avental branco abriu a porta e perguntou:

"Sim?"

Os três homens olharam-no. O último a chegar disse:

"Eu quero falar com o diretor."

"Ele não está."

"O legista está?"

"Qual deles? Temos vários legistas", disse o homem de avental branco.

"O que está fazendo a autópsia."

"Que autópsia? Umas quatro autópsias vão ser feitas hoje", respondeu o homem de avental branco.

"A autópsia da dona Elza Wierck", disse o visitante em voz baixa.

Os outros dois olharam-no surpreendidos.

"Vou ver se ele pode falar com o senhor."

A porta fechou-se e os três ficaram sozinhos.

"Elza era sua parenta?", perguntou um deles.

"Eu também vim saber de Elza", disse o outro.

"Parece que nós três viemos por causa de Elza", disse o último. "Eu pensava que era o único — o único, ahah, amigo de Elza. Ela era muito expansiva e alegre: eu sabia que havia, posso ser franco? — outros, mas, não me importava." Além do mais, tinha o seu trabalho, não podia nem tinha tempo para laços mais íntimos. Só pensava a sério mesmo na sua indústria.

"Indústria?"

"Eixos de manivela."

"Eu fabrico soda cáustica", disse um deles.

"É estranho", disse outro.

"O quê?"

"O fato de sermos os três, amigos, hum, íntimos, de Elza. Eu fico um pouco chocado com isso, sabem? Chocado não, surpreendido. Vocês não ficam?"

Antes que os outros respondessem, continuou:

"O meu negócio é vidro plano; duplicamos a nossa produção no último semestre. Estamos fazendo um vidro melhor do que o belga."

Os três olharam-se respeitosamente: eram homens jovens, irradiando segurança e sucesso. Pertenciam ao mesmo mundo.

Nesse instante chegou o legista.

"Boa tarde. Em que posso servi-los?"

"Nós somos amigos, éramos amigos de dona Elza Wierck, a moça que foi, que foi— "

"Lamentável", disse o legista, "lamentável. Pobre moça! Prenderam o tarado que a matou, não prenderam? Era o namorado, não era?"

"Nós éramos amigos dela."

"Ela não tem parentes?", perguntou o legista.

"Não sei", respondeu um dos jovens senhores. "Acho que não", disse outro.

"Ela era suíça, creio que os parentes estão na Europa", acrescentou o terceiro.

"Ah! ela era suíça", disse o legista, esfregando as mãos como se estivesse muito satisfeito em ouvir aquilo. "Uma linda mulher", continuou, "pode-se ver, mesmo agora."

"O senhor já fez a autópsia?"

"Não, não, ia iniciá-la quando me chamaram."

"Nós viemos aqui— "

"Já sei", cortou o legista, "os senhores querem assistir à autópsia."

Os três homens olharam-no como se estivessem assombrados com aquela sugestão. Mas o legista não pareceu notar, pois disse:

"Não sei se os três poderiam entrar; isso é muito irregular."

"Bem", disse alguém, "não há necessidade; se não pode, não pode — não vamos romper os regulamentos."

Novamente o legista deixou de notar o alívio estampado no rosto dos três homens. "Nós sempre fazemos uma exceção para os parentes", disse.

"Não somos parentes."

"A pobre moça não tem parentes no país, os senhores mesmo disseram. Coitada. Os senhores são como se fossem seus parentes; afinal, são amigos. Eu não sou daquele tipo de funcionário burocrático escravo dos regulamentos. Sou um médico — vejo o lado humano das coisas; para mim os regulamentos não podem ser obedecidos cegamente. Eu lhes digo o que vou fazer: permitirei a entrada de um dos senhores, para que assista a esta tarefa, que, infelizmente, tem que ser executada, está na lei."

"Mas é necessário?"

"Imprescindível", disse o legista. "O auto de exame cadavérico é peça essencial do processo. A autópsia tem que ser feita."

"Eu não perguntava isso", um dos homens começou, mas o legista não ouviu e continuou:

"É da lei. É da lei. Qual dos três então? É preciso coragem."

Os três homens, que começavam a falar, silenciaram abruptamente.

"Qual dos três? Ela está esperando."

"Qualquer um de nós...", disse um deles.

"Decidam", disse o legista.

Os três olharam-no com temor.

"Então?"

Silêncio.

"Eu vou", disse um deles, encarando os outros dois, que desviaram os olhos.

Chegaram ao local da autópsia. Deitada numa mesa de mármore estava uma mulher vestida de saia, blusa de seda estampada, sem sapatos. Sua cabeça apoiava-se num toco de pau com uma meia-lua onde se inseria a nuca. Perto da mesa estava um enfermeiro. Além, sentado numa mesa, um escriturário.

"Primeiro temos que tirar a roupa dela", disse o legista.

Tiraram a saia, a blusa, as peças íntimas.

"Uma saia de — que material é esse? Tergal? — de tergal, uma blusa de seda estampada, sutiã de náilon, uma calça de náilon. Temos que tomar nota de tudo", disse o legista olhando para o escriturário que escrevia, "para o laudo. O laudo tem que ser completo."

A mulher agora estava completamente nua na mesa de mármore.

"O homem queria mesmo matar", disse o legista, olhando o corpo, profissionalmente. "Veja quantas facadas." Os ferimentos, como se fossem desenhos, espalhavam-se pelo corpo.

Lavaram o corpo. Uma água avermelhada descia pela calha que rodeava a mesa e ia sendo depositada num recipiente no chão. O corpo ficou limpo, cor de mármore.

Com um estilete graduado, o legista começou a medir os ferimentos. "Um com três centímetros na face externa do terço superior do braço esquerdo." O escriturário tomava nota. "Um na região axilar esquerda, dois centímetros e meio, perfurante. Dois na face interna hemitorácia esquerda, cada um com quatro centímetros." O legista enfiava o estilete nos ferimentos e olhava cuidadosamente as marcas do instrumento. "Parece que estou matando-a novamente, não parece?", perguntou sem olhar o estranho ao seu lado.

O corpo da mulher foi virado e revirado, pesquisado. Era um corpo longo, forte, de seios pequenos. Os cabelos do púbis eram claros e raros. A boca estava aberta, os dentes da frente aparecendo entre os lábios verde-roxos; um rosto duro.

"Você aguenta?", perguntou o legista. Um sorriso leve perpassou pelos seus lábios. "Afinal, você era amigo dela..."

Cuidadosamente o enfermeiro repartiu o cabelo da mulher.

Enquanto isso, o legista, num gesto longo, firme e contínuo, com o bisturi cortou o corpo num fundo traço longitudinal, da garganta à região pubiana.

A carne do peito foi puxada violentamente para os lados, desprendida dos ossos, deixando-os à mostra.

"Depois cose-se tudo", explicou o legista, "a reconstituição é perfeita. A linha aparece, é claro."

O legista apanhou uma tesoura, como essa de cortar rosas, um pouco maior. "Costetomo", disse ele, mostrando o instrumento. "Como o nome indica, serve para cortar costelas."

Com o costetomo o legista iniciou o seu trabalho. Os ossos eram partidos com um som seco. Apareceram os pulmões, o coração.

O enfermeiro levantou a cabeça da mulher e com o bisturi cortou o couro cabeludo na base do crânio; enfiou os dedos da mão direita na fenda que fizera e com um golpe rápido arrancou o couro cabeludo, que se soltou do crânio rangendo, como papelão colado se desprendendo de uma parede.

O crânio nu parecia um enorme ovo amarelo. "Agora estamos preparados", disse o legista.

"Começaremos pela cabeça, como manda a boa técnica."

Com um serrote, o enfermeiro começou a serrar o crânio.

"Nós antes tínhamos uma serra elétrica", disse o legista. "Mas não havia jeito do enfermeiro trabalhar direito com ela: um dia encrencou, a roda dentilhada se desprendeu e saiu rodando por aí, saiu pela porta, desceu as escadas, eh eh!" O enfermeiro olhou para o legista que continuou: "Por isso usamos ainda o serrote. É rudimentar, reconheço, porém é prático."

A calota craniana foi completamente serrada. De dentro foi retirada uma massa alabastrina, uma opaca medusa: "Encéfalo — um quilo, duzentos e setenta gramas", pesou o legista numa balança sobre uma mesa próxima.

De dentro do corpo os órgãos eram tirados e atirados na balança.

"Fígado — um quilo e cem gramas. Ela não bebia, certamente; tivemos um aqui, outro dia, com dois quilos e tanto, hein?", disse o legista para o enfermeiro.

Com a mão enluvada, o legista agarrou o pulmão e tentou arrancá-lo de um só golpe. Não conseguiu da primeira vez. Tentou com as duas mãos e conseguiu.

"Transfixado o esquerdo no hilo, no lobo superior e inferior; o direito no ápice."

O legista curvou-se sobre o baixo-ventre da mulher. Arrancou outro órgão: "Útero — pequeno e vazio. Vazio", repetiu ele, olhando o homem ao seu lado.

Enquanto isso, com uma concha, o enfermeiro começou a retirar o sangue da cavidade torácica e a vertê-lo dentro de vasilhames de vidro graduado, dizendo: "Seiscentos e cinquenta centímetros cúbicos na cavidade pleural direita: quatrocentos centímetros cúbicos na cavidade pleural esquerda."

"Morreu de hemorragia interna e externa. 'A vida de toda carne é o sangue', está nas escrituras. Foi atingida a subclave esquerda."

Nas mãos enluvadas o legista segurou o coração da mulher. Parecia uma pera; escuro.

"Duzentos e vinte e cinco gramas", disse ele, pesando na balança. "Não foi atingido."

Os órgãos foram todos jogados de volta, para dentro do corpo.

Com uma agulha curva, o enfermeiro coseu o imenso corte. O encéfalo posto dentro do crânio, o couro cabeludo puxado para trás e cosido também. O rosto da mulher surgiu novamente, olhos abertos, boca aberta.

"Acabou", disse o legista.

"Fiquei até o fim", disse o homem que assitia.

"Ficou, ficou sim", disse o legista, tentando disfarçar o desapontamento de sua voz.

"Agora vou-me embora", continuou o homem, falando baixo.

"Vai, vai", disse o legista, com certo desalento.

Os dois olharam-se nos olhos, com um sentimento escuro, viscoso, mau.

O homem começou a sair da sala de autópsias. Os dentes cerrados, só pensava numa coisa: "não posso correr, não posso correr"; andava lentamente, rígido, como um soldado de regimento inglês desfilando.

Quando chegou na sala de espera, a mesma estava vazia. "Foram embora", murmurou entre dentes, "foram embora."

Desceu pelo elevador.

Na porta da rua o sol bateu em cheio no seu rosto. Ele fechou os olhos e cobriu-os com as duas mãos. Disse: "putaqueupariu", ainda com as mãos no rosto. Abriu a boca como se estivesse com falta de ar. Isso por poucos segundos. Logo em seguida descobriu o rosto, olhou para os lados para ver se alguém o observava e compôs sua fisionomia.

O CONFORMISTA INCORRIGÍVEL

A sociedade mentalmente sadia do grande Fromm

Uma sala. Na parede um retrato de Erich Fromm e outro de Norman Mailer. Em torno de uma grande mesa oval: um jovem chamado Amadeu; um sociopsicólogo chamado dr. Levy; um psicanalista chamado dr. Prom; uma psicotécnica chamada dra. Kreuzer.

DR. LEVY: Devemos retirá-lo da sala? Ou discutimos o caso em sua presença?

DRA. KREUZER: Gostaria de ouvir a opinião do dr. Prom.

DR. PROM: Ele pode ficar. Antigamente isso não se fazia por simples ignorância.

DR. LEVY: Muito bem. *(Para Amadeu)* Amadeu, nós vamos discutir, em sua presença, o seu problema. Peço a sua cooperação quando lhe forem dirigidas perguntas.

AMADEU: Mas que problema? Dr. Levy, eu gostaria de ir-me embora.

DR. LEVY: Você não quer assistir?

AMADEU: Ir embora do Instituto. Já estou aqui há quinze dias. O senhor disse que eu só ficaria aqui quinze dias no máximo.

DR. LEVY: É exatamente isso que nós vamos discutir. Se você pode *ir embora*, ou se tem que ficar.

AMADEU: Mas dr. Levy, quando eu vim para cá não me foi dito que a minha saída dependeria de qualquer discussão.

DR. LEVY: É a sua cooperação que eu estou pedindo, Amadeu.

AMADEU: *(Depois de pensar um pouco)* Está bem.

DR. PROM: *(Escrevendo num bloco e murmurando)* Tendência compulsiva para a cooperação.

DR. LEVY: Acho que não preciso fazer um histórico minucioso do caso. Os senhores têm participado dos estudos feitos com este jovem que é, digamos, um remanescente típico do Conformismo, cuja erradicação é o principal objetivo do nosso Instituto. Outros órgãos trabalham em estreita cooperação conosco; nossos companheiros do Icontrop estão progredindo muito em sua tarefa de acabar com a influência perniciosa dos jornais, dos livros, dos filmes, da televisão, em suma, de todo o aparato cultural da sociedade antiga que, até há pouco, arrastava as pessoas à Conformidade.

DRA. KREUZER: Além de outras distorções.

DR. LEVY: *(Continuando)* O Iconidrex acaba de elaborar a Nova Ideologia do Sexo — proscrevendo a submissão masoquista e a dominação sádica.

DRA. KREUZER: Estabelecendo o amor sem ilusões.

DR. PROM: Amor sem narcisismo.

DRA. KREUZER: Está provado que jamais houve um casamento realmente feliz, onde o amor, como disse Mailer, fosse uma relação produtiva e criadora, sem egoísmo, sem "impostura", íntegra e independente.

DR. LEVY: *(Para Amadeu)* Mas a base da Revolução preconizada por Fromm e Mailer é a luta contra o Conformismo; um perigoso tipo de "autoridade" que chegou ao seu esplendor em meados do nosso século.

DR. PROM: Substituindo o pai, o mestre, o rei, o deus, a lei.

DR. LEVY: Exatamente. Como disse o grande Fromm, um tipo de autoridade anônima, invisível, alienada; em que ninguém dava ordens — nenhuma pessoa, nenhuma ideia, nenhuma lei moral — mas todos se submetiam. A quê?

DRA. KREUZER: À Conformidade!

DR. PROM: A essa coisa iníqua e asfixiante que era a comunis opinio.

DR. LEVY: *(Sempre olhando para Amadeu, que atento segue suas palavras)* Exatamente. Todos queriam *ser iguais*, e toda cultura era influenciada por isso. Vejam por exemplo a arquitetura de Le Corbusier, Gropius, Niemeyer e outros alienados, que se espalhou como uma epidemia pelo mundo, com as suas paredes de vidro e seus playgrounds coletivos condicionando os moradores a um mimetismo obsessivo. A pessoa não precisava sair da sua casa para ver ou ser vista, nas coisas mais íntimas.

DRA. KREUZER: Soube hoje que as últimas casas e apartamentos desse tipo estão sendo destruídos pelo Icontrab.

TODOS: Excelente, excelente!

DR. LEVY: O mesmo ocorria com o que se denominava a Moda. Todas as pessoas se vestiam igual na Finlândia, em Gana, no Marrocos e no Curdistão. Pura imitação.

DRA. KREUZER: Agora as pessoas não podem mais se vestir igual. A não ser os membros uniformizados dos institutos, é claro.

DR. LEVY: É claro. Cada pessoa se veste como quer, desde que não crie um padrão geral. Houve época, por exemplo, em que meia dúzia de homossexuais neuróticos e misóginos ditava a moda feminina em todo o mundo.

DRA. KREUZER: Dá pena ver as fotografias das nossas mães.

DR. PROM: Vamos ao caso, dr. Levy.

DR. LEVY: Estou sendo prolixo? O dr. Prom sempre me acusa de prolixo. Mas neste momento não busco outra coisa senão esclarecer Amadeu.

DR. PROM: Não o estou acusando de prolixo, dr. Levy. Mas o nosso prazo termina amanhã, e temos ainda que elaborar o Relatório Final, que não será curto, posso lhes assegurar.

DR. LEVY: Eu sei, eu sei. Nosso objetivo hoje é decidir, finalmente, se Amadeu deverá continuar o seu tratamento no Instituto ou se poderá sair.

DR. PROM: Eu gostaria de fazer a Amadeu uma pergunta que lhe fiz em nossa última sessão. *(Vira-se para Amadeu)* Amadeu — pense bem antes de responder —, qual a coisa mais importante que uma pessoa pode aprender?

AMADEU: A coisa mais importante?

DR. PROM: Sim, a coisa mais importante.

AMADEU: A coisa mais importante é aprender a conviver com outras pessoas.

DR. PROM: *(Olhando para* os *outros com ar de triunfo)* Por quê?

AMADEU: Para todos gostarem da gente.

DR. PROM: E por que é bom todos gostarem de você?

AMADEU: Porque eu me sinto feliz com isso.

DRA. KREUZER: *(Chocada)* Ele está dizendo a verdade, ele realmente se sente feliz com isso?

DR. PROM: Na narcoanálise ele me disse a mesma coisa. Alguns conformistas, conquanto acreditem ser do seu dever a Conformidade, a Fusão com o Grupo, têm a sensação de estarem frustrando outros impulsos. Amadeu, não. Ele é realmente feliz assim.

DRA. KREUZER: Que horror! Essa vida de concessões, essa vida exterior não passa de uma vida de aprisionamento, vazia e depressiva. Como pode ele ser feliz?

DR. LEVY: Ele pensa que é feliz; ele se sente feliz, mas tudo não passa de uma terrível ilusão. Mas essa ilusão é a sua realidade. Um caso realmente desagradável.

DR. PROM: Dr. Levy, é por ser Amadeu um caso difícil que as melhores cabeças do Instituto foram chamadas para estudá-lo.

DRA. KREUZER: Ele é altamente perigoso. Enquanto houver indivíduos como ele, nós nunca teremos a sociedade perfeita do grande Fromm.

DR. LEVY: Não é fácil estabelecer o sentimento de Identidade Individual numa sociedade até há pouco dominada pela Conformidade Gregária. Ainda existem muitos como ele espalhados pelo mundo; essa é, infelizmente, uma verdade que temos de enfrentar.

DRA. KREUZER: Precisamos acabar com ele. O Homem precisa ser livre, sadio.

DR. LEVY: Não se preocupe, dra. Kreuzer. Não estamos longe desse dia, em que o homem verá o mundo, as outras pessoas e o próprio Eu, como eles verdadeiramente são: sem que desejos e temores deformem a realidade.

AMADEU: *(Inesperadamente)* Eu não tenho temores.

DR. PROM: Como não? Você tem medo de ser diferente.

AMADEU: *(Tranquilo)* Não tenho não.

DR. PROM: Vejam, vejam, a segurança típica do alienado. Ele não sabe, como disse o grande Fromm *(sublinhando as palavras)*: *que o homem livre é por necessidade inseguro: o homem que pensa é por necessidade indeciso.*

AMADEU: Eu não tenho temores.

DR. PROM: Tem sim. *(Dando um soco na mesa)* Já disse. Você tem medo de ser diferente.

AMADEU: Não tenho, não.

DR. PROM: Tem. *(Para* os *outros)* E essa é a verdadeira causa das suas desavergonhadas inclinações gregárias.

DR. LEVY: Exato. É por isso que ele aceita, consciente e plenamente, qualquer forma de ajustamento.

DR. PROM: Tornando a nossa tarefa difícil. Pois podemos, aparentemente, desajustá-lo, mas na verdade sua extroversão o ajustará novamente em pouco tempo.

DRA. KREUZER: Quer dizer que ele é um conformista incorrigível?

DR. LEVY: Isso não existe. Se aceitarmos isso, jogamos por terra a nossa crença na Nova Sociedade, a sociedade frommista, onde não existem condições para o surgimento do Conformismo Alienado. A nossa tarefa é fazê-lo sentir-se inseguro e, ao mesmo tempo, capaz de tolerar a insegurança, sem pânico. E isso ainda não conseguimos.

DR. PROM: Ele tem que continuar aqui. Sua periculosidade é muito alta. Se sair, poderá criar núcleos gregários e conformistas, espalhar seu exemplo deletério. Ele não pode sair.

DR. LEVY: Concordo. Dra. Kreuzer?

DRA. KREUZER: Concordo.

AMADEU: *(Que acompanhava os debates com atenção)* Não posso sair? Por quê? Exijo uma explicação lógica.

DR. LEVY: Muito simples Você —

DR. PROM: *(Bruscamente)* Não lhe explique coisa alguma. Ele tem que encontrar, na solidão, a resposta.

AMADEU: *(Decidido)* Eu vou-me embora.

(O dr. Levy toca a campainha. Entram duas pessoas que seguram Amadeu e retiram-no da sala. Dr. Prom, dra. Kreuzer e o dr. Levy, de pé, repetem, em coro, palavras do velho Manifesto Revolucionário de Fromm e Mailer)

CORO: Contra o Matriarcado!

Contra a Filiarquia!

Contra a Extroversão!

Contra o Congregacionismo!

Contra a Conformidade Autômata!

TEORIA DO CONSUMO CONSPÍCUO

Estávamos dançando abraçados, de frente, da maneira convencional. Ela não queria brincar no cordão, nem queria outra sorte de abraços, nem queria tirar a máscara. Eu gritava no meio do barulho, pedia no seu ouvido: "Tira a máscara, meu bem." Ela nada. Ou melhor, sorria, os dentes mais lindos do mundo, de boca aberta. Eu via os molares lá no fundo.

Dançamos a noite toda. No princípio, fiquei muito excitado. Depois, fiquei cansado somente; mas continuamos abraçados, bem apertados. Eu só via o seu queixo, que era branco e redondo; e a boca. Da boca para cima nada. Nem os olhos a máscara deixava ver direito.

Me contaram uma história de um par mascarado que dançava no carnaval. Ele estava vestido de cachorro e tinha uma máscara de gente; ela estava vestida de gente e tinha uma máscara de gata. Tiraram as máscaras ao mesmo tempo. Debaixo da máscara de gata estava a cara de uma mulher; debaixo da máscara de gente estava a cara de um cachorro; o que tinha corpo de cachorro, era cachorro mesmo: as aparências não enganam.

Era o último dia de carnaval e todo carnaval eu sempre fora com uma mulher diferente para a cama. Já na terça-feira, mais um pouco o carnaval acabava e eu não teria mantido a tradição. Era uma espécie de superstição como a desses sujeitos que todo ano vão à igreja dos Barbadinhos. Eu temia que algo malévolo ocorresse comigo se eu deixasse de cumprir aquele ritual.

À meia-noite começaram a cantar no salão, com o mais genuíno dos masoquismos, "é hoje só, amanhã não tem mais".

Essa advertência, de que era aquele o último dia, me deixou muito preocupado. Continuávamos dançando, ela rindo a três por dois, jogando a cabeça para trás, boca aberta, e eu olhando os seus molares; cheio de medo, pois era hoje só, amanhã não tinha mais.

Nossa conversa era feita de olhares e apertos, pois o barulho da orquestra, dos gritos e apitos, não permitia que conversássemos. De vez em quando apertava a mão dela e ela retribuía; prendia a perna dela entre as minhas, ou a minha entre as dela, e novamente sentia a receptividade. Beijava-a no pescoço, na orelha; ela raspava na minha nuca uma unha pontuda e afiada como se fosse uma faca.

O tempo foi passando, passando e acabou. Já era de manhã. Saímos do baile e, como era verão, o sol iluminava todo mundo. Todos estavam feios, suados, sujos. Aparecia em certas caras a burla do lábio fino engrossado de batom; peitos postiços saíam de posição; sapatos altos quebravam o salto e algumas mulheres viravam anãs de repente; sovacos fediam; dedos dos pés e calcanhares surgiam calosos e imundos.

Só a minha amiga continuava bonita e fresca como se fosse uma rosa. E de máscara.

"Já é dia", disse para ela. "Você já pode tirar a máscara."

"Você quer mesmo que eu tire?", perguntou ela.

Íamos andando pela rua, sós. As outras pessoas tinham desaparecido.

"Já é dia", repeti, achando boa a razão que eu apresentava. "Além do mais, o carnaval acabou", disse com certa tristeza. "Hoje é quarta-feira de cinzas."

"Você quer mesmo que eu tire?", tornou ela.

"Já é dia", insisti.

Continuamos andando. Eu de mau humor.

"Vamos para a minha casa?", perguntei, urgente e sem esperança.

"Não posso tirar a máscara", disse ela.

"Não tira", disse eu, decididamente. Mas estava apreensivo. Não havia tempo a perder. "Vamos."

Como ela não respondesse, eu a peguei por um braço e a levei para minha casa.

Quando entramos ela disse:

"Não posso."

"Tirar a máscara?"

"Quem falou em tirar a máscara?", disse ela, botando as mãos no rosto e dando um passo para trás.

"Eu não falei em tirar a máscara", defendi-me. "Foi você, dizendo 'não posso.'"

"Eu não falei na máscara", protestou ela. "Não posso outra coisa."

Eu me sentei e tirei os sapatos.

"Nós dois estamos perdendo o nosso tempo", disse eu. "É melhor você ir embora."

"Você não entende", disse ela.

Num gesto dramático, tirou a máscara.

"Não suporto o meu nariz", disse com desafio na voz.

Era um nariz muito bonito, arrebitado.

"O seu nariz é muito bonito", disse eu. "Você é toda muito bonita."

"Não sou não", disse ela, com jeito de quem ia chorar. "Vocês homens são todos iguais."

"Está certo. Somos todos iguais. E daí?"

"O meu problema é não ter duzentos contos. Você me dá duzentos contos?"

"Duzentos contos?"

"Você me dá duzentos contos?", arguiu ela, como se estivesse me pondo à prova. De boca fechada, me olhava fixamente.

Eu me levantei e vi meu talão de cheques do banco. Tinha duzentos justos.

"Dou", disse. Fiz um cheque e entreguei a ela.

"Depois eu pago", disse ela.

"Não precisa", disse eu olhando o relógio. "Hoje já é quarta-feira."

"Pago sim. Vou trabalhar e pago. Eu não gosto de dever a ninguém."

"Está certo; você paga."

Bocejamos os dois.

"Os médicos são muito caros, você não acha? Duzentos contos só para operar um nariz", disse ela.

Foi andando em direção à porta.

Eu estava tão cansado que continuei sentado.

"Você vai querer me ver de nariz novo?", perguntou ela.

Eu tive vontade de dizer: "Você não precisa de um nariz novo, está gastando dinheiro à toa; além do mais, me deixou completamente na miséria levando os últimos duzentos contos da minha indenização trabalhista." Mas achei que isso não seria gentil da minha parte e disse somente: "Vou."

"Tchau", disse ela, saindo e fechando a porta.

Deixou a máscara em cima de uma cadeira. Era preta, de cetim, com um perfume forte e bom. Botei a máscara e fui para a cama. Estava quase dormindo quando me lembrei de tirá-la: um sujeito que sempre dorme de janelas abertas não pode dormir com uma máscara que lhe cobre o nariz.

HENRI

Simples, sóbrio, tranquilo; olhos de um homem honesto; boca de um homem sensível, um intelectual talvez; educado, respeitável e pontual. No quadrado do espelho sua mão surgiu, longa, branca, forte e meticulosamente limpa, acariciando sua barba negra. Virando um pouco a cabeça, por um efeito ótico, os fios de barba brilhavam como se tivessem luz própria; isso ele fez, várias vezes, ficando quase de perfil, tendo que esquinar bem os olhos até que eles começassem a doer. Henri olhou então sua cabeça lisa como um ovo. Sua calvície sempre lhe dava um aperto no coração, que ele amenizava dizendo para si mesmo que sua cabeça alta (era enorme a distância entre as orelhas e a ponta do crânio) significava inteligência e que o fato de ser calvo jamais tivera efeito negativo sobre o seu trabalho, o que era uma absoluta verdade.

Olhou o relógio. Eram duas horas. Melhor esperar ainda uma hora. Três horas da tarde é a melhor hora para se visitar uma mulher, principalmente se ela for de meia-idade, como certamente seria o caso de madame Pascal.

Pela manhã as mulheres são uns trapos, feias, repulsivas, amassadas pela noite, fétidas. Elas sabem disso e detestam contatos com estranhos a essa hora, quando ainda não se perfumaram, escovaram os cabelos, pintaram a cara. Pensa: estarei sendo injusto em minha crítica? Ele sempre se julgara um homem correto, e por momentos analisou, de acordo com a sua vasta experiência, o julgamento que fizera.

Madame Pascal. Uma hora ainda. Madame Pascal, uma feliz coincidência de nomes, pois Pascal era o seu mestre, o seu favorito e sua leitura lhe dava tanto prazer quanto a de Victor Hugo. Na verdade, se é que ele podia se orgulhar de algumas virtudes, que de fato, deixando a modéstia de lado, ele reconhecia possuir, não havia a menor dúvida de que a leitura de Pascal em muito contribuíra para isso. Foi até a estante e apanhou um volume de capa marrom, onde estava escrito na lombada *Esprit de géométrie*. Suas mãos fortes acariciaram o livro demoradamente; depois colocaram-no de encontro ao peito e Henri sentiu qualquer coisa de místico dentro dele: apertou o livro com força, sentindo sua capa dura; fechou os olhos.

Sentou-se na poltrona, puxando as calças cuidadosamente a fim de preservar-lhes o vinco. A sua experiência (sua vasta experiência) e a leitura de Pascal levavam-no sempre a pensar em duas avenidas através das quais a crença podia ser comunicada: o entendimento e a vontade do ouvinte. O entendimento é o caminho mais natural, a vontade é o mais usual. Isso ocorre com as verdades no mundo natural, onde o processo estritamente racional oferece o único caminho seguro. Não era, aliás, devido à segurança com que trabalhava que ele havia conseguido aquele imenso e, por que não dizer, incrível sucesso? Ah, se os outros pudessem saber! E as verdades sobrenaturais? Essas ele não alcançava. Talvez porque Deus quisesse humilhar o raciocínio orgulhoso dos homens, essas verdades só podiam entrar na mente através do coração. As coisas naturais têm que ser conhecidas antes de serem amadas; as coisas sobrenaturais só chegam a ser conhecidas por aqueles que as amam. Havia momentos, como quando ao contemplar os olhos vidrados de madame Cuchet, em que ele tivera uma visão, ainda que rápida, fugaz, de uma verdade urgente — Henri abre os olhos, alisa a barba. Madame Cuchet: ninguém como ela exigira uma tão rigorosa demonstração de poder intelectual envolvendo um íntimo conhecimento da mulher a quem os seus argumentos se dirigiam. Ah, o mestre dizia que esse método era incomparavelmente mais difícil, mais sutil, mais admirável e reconhecia-se incapaz de usá-lo, achando mesmo impossível fazê-lo. Mas não ele, Henri, com a sua vasta experiência. Apanhou na gaveta fechada a chave o seu caderno preto e reviu suas críticas anotações e sua mente se encheu de recordações.

Às três em ponto tocou a campainha da casa de madame Pascal. No bolso carregava o pequeno anúncio em que ela oferecia móveis à venda.

Abre-se a porta. Deve ter quarenta e nove anos, talvez cinquenta; faz os próprios vestidos; vê-se que é uma mulher só, e desconfiada de todo mundo: certamente deve achar que eu tentarei roubá-la no negócio, oferecendo preços vis pela mercadoria; talvez se desfaça dos móveis para ir para o campo — essa constatação (e como ele nunca se enganava) deixou Henri tão emocionado em face das perspectivas que se abriam, que o seu coração começou a bater desordenadamente.

À frente de madame Pascal estava um homem de ar solícito, bem (mas discretamente de preto) vestido, com uma calvície ridícula e uma barba preta. Como era preta a barba dele! Ah! o patife pensa que me vai enganar, que venderei meus ótimos móveis por quatro vinténs! Mas ele vai ver uma coisa!

Agora Henri está dentro da casa e examina os móveis judiciosamente. Os preços que oferece começam a vencer a desconfiança de madame Pascal; sua cortesia encantadora, sua perfeita educação, aparente na voz bem-modulada e na elegância dos gestos, impressionam Pascal. Antes de Henri se retirar algumas informações são trocadas. Ela, como costureira, havia economizado o bastante para uma vida confortável, ainda que modesta, e pretendia mudar-se para o campo. Ele tinha uma fábrica em Lille, ocupada pelos alemães, e quando a guerra acabasse todas as suas posses lhe seriam devolvidas e ele voltaria a ser um homem muito rico. Madame Pascal diz então que é uma mulher solitária. Henri se retira, prometendo voltar no dia seguinte.

No dia seguinte Henri chega carregando um ramalhete de rosas vermelhas. As rosas haviam sido escolhidas com o maior cuidado. Era capaz de ficar longo tempo examinando uma flor, principalmente uma rosa, que era a sua flor preferida.

Nao se fala mais nos móveis. Henri fala de flores, elas são uma dádiva de Deus. Fala de música, e de Mozart e Debussy. Música e flores são a sua paixão na vida. Um verdadeiro cavalheiro, pensa madame Pascal, vê-se que tem berço, que é bem-nascido, distinto, educado, fino, sabe tratar uma dama.

A noite passa rapidamente. Henri pergunta se pode voltar, eles têm tanta coisa em comum, o mesmo gosto pela música e pelas flores, pelos poetas. — Poetas?, pergunta madame Pascal. Henri: pensei que lhe havia falado de Lamartine, Musset. Ao despedir-se, Henri beija a mão de madame Pascal.

Antes de dormir Henri tomou um copo de leite. Dobrou cuidadosamente suas calças e as colocou juntamente com o paletó e o colete em um cabide, que guardava no armário.

Nessa noite ele sonhou com o pai, coisa que não acontecia há cerca de seis anos.

Foi um sonho diferente de todos os outros. Ele está num bosque escuro, num dia de inverno; uma neblina branca, como fumaça, desce das árvores; não se ouve um som, nada se move. Ele olha para o tronco escuro das árvores à procura de alguma coisa; vai andando pelo bosque até que vê um vulto sob uma árvore: é um homem vestido todo de negro, com uma corda na mão. Ele agora está defronte do homem e vê que uma ponta da corda é um laço, que o homem coloca em torno do pescoço, enquanto joga a outra ponta por cima do galho de árvore sobre sua cabeça; a ponta da corda balança como o pêndulo de um relógio. Agora os dois se olham, frente a frente, longamente. Henri reconhece seu pai: o pai junta as duas mãos como se estivesse rezando e coloca-as junto ao peito, suas mãos grossas, de dedos curtos e sujos de mecânico; motores não me atraem mais, diz ele para o pai; o pai não responde; nem vou mais à igreja; o pai não responde. Henri verifica então que na face do pai não existe a menor expressão, que no lugar dos olhos existem dois buracos negros, fundos. Henri segura a corda e começa a puxar, é um peso enorme e ele tem que se ajoelhar no chão para conseguir fazer o corpo do pai subir. Enquanto sobe, preso pelo pescoço o corpo começa a mudar de forma, a ficar longo. Agora o corpo está lá em cima; o rosto do pai continua o mesmo durante algum tempo, mas, de repente, ele mostra os dentes como se fosse uma careta ou um sorriso, ou as duas coisas ao mesmo tempo e, entre os dentes, surge uma ponta de língua vermelha, a única coisa que não é branca ou preta em todo o mundo. Ele continua segurando a ponta da corda pois sabe que se não o fizer o corpo do pai descerá novamente. O peso é insuportável; ele está ajoelhado e procura um lugar para amarrar a ponta da corda mas o tronco da árvore está muito longe; o peso é horrível, ele sua, molha o corpo todo, a corda fere suas mãos de onde sai sangue (preto); ele não vai aguentar mais, mobiliza todas as suas forças mas já sabe que não vai aguentar mais.

Depois que acordou, Henri não conseguiu dormir o resto da noite. Desde que o pai se suicidara, no Bois de Boulogne, que Henri não pensara mais nele. Fazê-lo naquele momento incomodou-o tanto que ele teve que sair da cama. Vestiu o seu robe de veludo. Depois sentou-se na única poltrona do seu quarto e leu *Méditations poétiques*. Como são ignorantes as mulheres, pensou, as caras imbecis que fazem quando falo em Lamartine, supõem sempre tratar-se do açougueiro da esquina. Ah, o trabalho que ele tinha em recitar-lhes versos de Lamartine e Musset! Ao pensar nisso Henri ficou com uma grande pena de si mesmo; e raiva de madame Pascal, cuja mão enrugada, cheirando levemente a cebola, ele tivera que beijar. Era muito melhor quando elas eram mais jovens, como Andrée Babelay, por exemplo. Não; Andrée era jovem demais. Mas talvez por isso sua ignorância nunca o irritava. Ele gostava do papel de sátiro que assumia ao estar com aquela camponesa transformada em empregadinha doméstica, dos nomes feios que ela lhe dizia, dos gestos obscenos que lhe fazia; do vermelho que cobria o seu colo e o seu rosto nos momentos de paixão; e, apesar disso, ela também tivera que ir — por motivos diferentes, de segurança. Várias pessoas os haviam visto juntos na rua — um homem de meia-idade, careca e barbudo, e uma menina de olhos brilhantes e cabelos castanhos caindo pelo ombro — rindo e segurando-se, mão no braço, ombro no ombro, pé no pé, em plena rua, uma loucura. Pobre Andrée, ele não podia se arriscar tanto, ela começava a desorganizar a sua vida e no tipo de negócio em que ele estava metido, a disciplina, a meticulosidade, a pontualidade, a organização eram requisitos essenciais que não podiam ser descuidados.

Esses pensamentos tornaram-no profissionalmente decidido: era preciso solucionar o caso Pascal rapidamente; não seria seu melhor desempenho, pois o caso de madame Buisson, aquela mulher calva que usava peruca, tinha sido solucionado em menos tempo ainda.

O resto da noite Henri passou fazendo o seu planejamento. Apesar daquela operação já ter sido efetuada uma dezena de vezes, nem por isso ele deixou de programá-la até os últimos detalhes.

No dia 4 de abril, conforme o combinado, Henri foi ao pequeno apartamento de madame Pascal a fim de levá-la a visitar sua casa de campo, a vila Gambais.

Durante a viagem um pequeno engano foi cometido. Num momento de distração Henri confessou para madame

Pascal que achava que o fim da guerra estava próximo e que isso não era muito bom para os negócios dele. A guerra é uma coisa horrível, disse madame Pascal, tantos jovens sendo mortos, tanta propriedade sendo destruída. Ao que Henri retrucou dizendo que desde que o mundo era mundo havia guerra, que a guerra era a mais humana das características da humanidade, que isso é que diferençava os homens dos bichos; que além do mais guerra era bom para os negócios, para novas descobertas científicas, trazia progresso para todos, nações e homens. Menos para os que morreram, retrucou madame Pascal. Ah! mas alguém tem que morrer, alguém morre sempre, replicou Henri. Aí então madame Pascal se lembrou e perguntou, mas e a fábrica, sua fábrica em Lille que os alemães ocuparam, você não vai recebê-la de volta? E como é que isso pode ser ruim para os seus negócios? Olhava Henri com um ar de satisfação, para alívio de Henri, que talvez cancelasse os seus planos se o olhar que ela lhe dirigia fosse de suspeita. Uma longa explicação: a fábrica voltaria às suas mãos em péssimo estado, uma indenização teria que ser pedida, a coisa se arrastaria anos pelos tribunais; sua vida começava a se organizar somente agora e o fim da guerra exigiria novas adaptações, novos planos; ou quem sabe, talvez ela tivesse razão, e o fim da guerra não fosse tão ruim assim etc. Isso da boca para fora, pois dentro do fundo do seu pensamento Henri pensava que o fim da guerra era uma coisa horrível, a destruição de — aqui o pensamento de Henri ficou confuso: a destruição de quê? de sua vida metódica? de seus ideais? de seu poder? de sua força? de sua tranquilidade?

Eis o meu pequeno paraíso, diz Henri ao chegarem à vila Gambais. Era primavera: os campos estavam cheios de flores; na vila de Henri existiam praticamente todas as flores que podiam crescer saudavelmente no solo francês. Henri as contemplou com imensa ternura.

Não há tempo a perder, soava na cabeça de Henri essa frase. Madame Pascal estava cansada. O interior da vila era mobiliado com móveis de dez procedências diferentes. Sente-se aqui, disse Henri, o esforço da viagem deve tê-la cansado. A emoção da viagem, sorriu madame Pascal. Sente-se, sente-se, verá como esse cansaço passa num minuto.

Madame Pascal senta-se. Uma pequena massagem, disse Henri delicadamente. Seus dedos acariciam a garganta de madame Pascal, seus ombros; que mãos suaves, pensou ela, que dedos hábeis, que homem encantador. Como é magra, pensou Henri, como é frágil a sua carne, como são finos os seus ossos, é preciso que ela não sofra. Ele estava atrás dela, curvado sobre a poltrona, os dez dedos em sua garganta. Agora! os polegares apoiaram-se com força na base do crânio e as pontas dos demais apertaram rápidas e firmes a garganta. Henri sentiu as cartilagens cedendo e logo em seguida os ossos da laringe se partindo.

Madame Pascal não emitiu um som sequer. Mas seu corpo todo tremeu num terrível arranco que durou menos de um segundo. Nisso ela quase escapou das mãos de Henri, que apertou com mais força, algumas unhas rasgando a pele do pescoço de madame Pascal. Suor porejou a fronte de Henri.

Sem muito esforço ele carregou, ainda agarrado pela garganta, o corpo de madame Pascal para a cozinha e o depositou sobre uma mesa. Verificou satisfeito que não houvera emissão de fezes ou de urina: a roupa íntima de madame Pascal estava limpa (até certo ponto). Henri contemplou fascinado a morte no corpo nu de madame Pascal. O rosto: petéquias disseminadas por quase toda a face, constituindo um pontilhado escarlatiforme sobre a pele pálida, cianosada; os olhos congestionados; as narinas apresentando uma espuma sanguinolenta; a língua projetando-se entre os dentes.

A vida era uma coisa imensa, grandiosa, a maior de todas as forças, e isso ele havia destruído, naquele momento, com suas próprias mãos. Ele, Henri. Deus dava e tirava a vida? Ele, Henri, se quisesse podia fazer a morte. Assim, ele olhava, cuidadoso e ávido, os seus sinais aparecerem no corpo de madame Pascal.

A morte devorava a vida lentamente, pensou Henri. Primeiro o corpo se imobilizava, a consciência se perdia (madame Pascal!, chamou ele duas vezes, madame Pascal!), suspendia-se a respiração e os batimentos do coração. Já era noite e o corpo de madame Pascal estava frio, o suor frio de sua pele cessara, seu corpo começava a endurecer. Era chegado o momento de ele interpretar o seu papel de nigromante. Com madame Cuchet ele esperara mais tempo, até que a sua pele quando tocada tivesse algo de pergaminho e uma estranha mancha verde surgisse na sua barriga murcha. Uma mancha verde, que ele não esperou que surgisse (era algo de raro!) na barriga de madame Pascal, pois de facão e machado começou a esquartejar o seu corpo com uma segurança de mestre.

CURRICULUM VITAE

Eu estou deitado na cama enquanto, de costas para mim, sentada em frente a um espelho, ela penteia os cabelos. Daqui a pouco ela vai embora, mas isso já não tem a importância que tinha antes. Ela sempre demora um tempo enorme penteando os cabelos. Usa pente, usa escova; depois pinta os olhos, a boca — o tempo todo olhando o próprio rosto com amor e nobreza. É um momento muito bonito, esse. Penso: talvez ainda dure muito, talvez eu ainda sinta muitas vezes o que estou sentindo agora; e me espreguiço na cama, enquanto ela, os dois braços levantados, escova tranquilamente os cabelos.

Agora ela me olha pelo espelho. Você não vai se vestir?, pergunta. Ela sabe que eu não vou me vestir. Eu me espreguiço. Ela: você é muito preguiçoso. Sabe de uma coisa, você é muito parecido com aquele seu amigo do bongô. Você acha?, respondo eu, alerta. Acho, diz ela, o que aconteceu depois? Você não quer ouvir, digo eu, quando você se penteia você não ouve nada. Ao que ela responde que ouve sim, que ouve tudo o que eu digo.

Ele foi à casa da mocinha que ele amava, com o bongô debaixo do braço, e um disco. Quando entrou a mocinha disse, você não cortou o cabelo, ah, que bom que o papai não está em casa, ele cismou com o teu cabelo. O teu pai não está em casa?, perguntou ele. Não, disse ela. Quer dizer que nós estamos sozinhos, disse ele. Os dois estavam sozinhos em casa, pela primeira vez. Eles se abraçaram e se beijaram uma porção de vezes, até que ela se afastou e disse que era melhor eles pararem, pois estavam sozinhos. Mas eu estou com vontade de te beijar, disse ele. Eu também, respondeu ela, mas é melhor nós pararmos. Mas eu estou com muita vontade, insistiu ele. Eu também, repetiu ela, mas vamos tirar isso da cabeça. Como?, perguntou ele. Pensa em urubu morto, disse ela. Sentaram-se os dois num sofá e ficaram pensando em urubu morto, ela mais do que ele. Depois ele pegou o disco que havia trazido, colocou na vitrola, e começou a acompanhar a música no bongô. Ela veio e sentou-se perto dele, e quando a música acabou disse, meu bem, que coisa mais bonita, que coisa linda, que música é essa?, me deu até vontade de chorar. *Jesus, alegria dos homens*, respondeu ele, meu amigo Zezinho me deu ideia de tocar essa música no bongô. Os dois ficaram então de mãos dadas um longo tempo.

Você não está ouvindo, digo eu, para a mulher que continua se penteando. Estou sim, diz ela.

Nesse mesmo dia a mocinha perguntou ao meu amigo que tocava bongô por que ele não arranjava um emprego. Papai vive dizendo que você é um vagabundo, que não estuda, que não trabalha, que não tem onde cair morto. Mas por que que eu tenho de ir trabalhar?, perguntou ele. Para ninguém chatear a gente, respondeu ela. Mas ele não queria trabalhar, não via razão para isso. Ele morava com a irmã, que trabalhava há muito tempo, desde que ele era pequeno, e já devia estar acostumada, e não se importava, e talvez até gostasse. Dinheiro ele não precisava — ele gostava de praia, de tocar bongô, e da menina de dezessete anos, e tudo isso não custava um tostão. Nem fumar ele fumava. Então, por que trabalhar? Mas resolveu procurar um emprego. Colocou o único terno que tinha, botou uma gravata, e saiu com vários recortes de jornal no bolso. O senhor tem prática comprovada para controle contábil de materiais em kardex?, perguntaram-lhe no primeiro lugar em que chegou. No outro, se tinha idoneidade moral, capacidade de chefia, conhecimentos de prevenção contra incêndio e alto nível de vigilância. E ainda, em vários lugares, se sabia inglês, datilografia, contabilidade, topografia, relações humanas, cálculos de importação, racionalização de métodos e sistemas. Todos pediam o seu curriculum vitae.

Ele não tinha curriculum vitae, digo eu para a mulher que está comigo dentro do quarto. Ela me olha, pois já acabou há algum tempo de se pentear e espera que eu, como das outras vezes, despenteie seu cabelo. Eu me levanto e despenteio seu cabelo, mas meu coração está em outra coisa, será que essa louca não entende?, meu coração está longe, cortado pelo meu pensamento. Ela murmura baixinho, dá pequenos grunhidos, e ri. Estamos abraçados, ela finge que quer se desvencilhar e por instantes rodamos no quarto até perdermos o equilíbrio e cairmos na cama. Agora estamos na cama, e eu não faço um gesto, o gesto que ela espera. O que que há com você, meu bem, você está esquisito, sério. Não é nada, digo eu. Cretina, idiota, imbecil, penso, sem raiva. Ficamos calados algum tempo. O que que há benzinho, insiste ela. Eu digo: ele não tinha curriculum vitae. E daí, ela responde, ele era um preguiçoso, isso é o que ele era, por que não foi tocar bongô numa orquestra? Ele foi, digo eu, foi fazer um teste na orquestra de um tal de El Cubanito. Ah, já sei — a mulher me interrompe — e em pouco tempo ficou famoso, rico, e festejado como o maior tocador de bongô do mundo, enquanto a mocinha de dezessete anos se casava com um oficial administrativo do Ministério da Fazenda e o pai dela se mordia de inveja e arrependimento. Não é nada disso, digo eu (louca, imbecil, cretina, idiota, vou pensando), não é nada disso, você pensa que eu estou te contando uma história de fadas?

Começaram com um cha-cha-cha. El Cubanito parou a orquestra no meio da música e disse, olha aqui, meu filho, o bongô tem uma certa liberdade dentro da música, você pode fazer tum-tum-tum-pac-tum-tum ou pac-pa-tum-pac-tum-pac ou ainda pac-tum-pac-tum-pac-tum, variando, mas não pode é sair do ritmo, entendeu? Vamos meter lá um mambo para ver se dá certo: pac-pac-pa-tum-pac, ok?

Eu estou na cama tenso, pensando naquilo. Digo para a mulher: ele só sabia tocar bongô acompanhando Bach, e assim o El Cubanito não pôde aproveitá-lo, ninguém podia aproveitá-lo. Ela responde: e depois, o que aconteceu?, mas sem o menor interesse, a nossa brincadeira já terminou e é hora de ir para casa. (Sem saber a verdade.) Digo para a mulher: a menina de dezessete anos esqueceu o rapaz, e ele também esqueceu a mocinha. (Não, não, ele não esqueceu a mocinha, mas devia tê-la esquecido: todo homem é uma ilha, vamos deixar de poesia.)

GAZELA

O senhor talvez pense que eu estou bêbado, mas não estou bêbado porra nenhuma. É esta história que me deixa tonto, nunca contei nada para ninguém. Na verdade quem me parece bêbado é o senhor. Não está? Então desculpe. Mas como eu ia dizendo, nós combinamos pegar o Vera Cruz das onze. Era uma viagem toda feita de medos. Medo de alguém ver a gente tomando o trem juntos, medo do porteiro do hotel em São Paulo, medo do que a gente ia fazer. Eu cheguei na estação quarenta minutos antes do trem partir e o trem nem estava no seu lugar. Quando o trem chegou eu coloquei a minha mala na cabine e dei uma gorjeta para o homem do trem, uma gorjeta grande, e disse, estou esperando minha senhora. Fiquei com a impressão de que ele desconfiava de tudo, o que me deixou apreensivo. A cabine era 13/14, é incrível como eu me lembro disso até hoje. Foram quarenta minutos de agonia;

fiquei andando pela plataforma, me escondendo no meio das pessoas, à espera de que ela surgisse. Até então nós nunca pensáramos em ter mais intimidade do que já tínhamos. Eu ia à casa dela de noite, mas não entrava, ficava no portão, pois não conhecia nem o pai nem a mãe dela. Conhecia os dois irmãos, assim mesmo ligeiramente. Quase sempre nós íamos para uma rua deserta e sentávamos em um local isolado e ficávamos beijando horas. Ela tinha a língua um pouco fria, talvez devido à pressão baixa, nunca pude saber ao certo. Dávamos centenas de beijos numa noite, talvez milhares. Era a coisa mais limpa, decente e boa que podia existir no mundo. Aos vinte e poucos anos todo homem é um imbecil, o senhor não concorda? Teve um cara que disse que mocidade é uma doença, e é mesmo. Eu estava gamado e tarado por essa garota, era como se ela fosse minha irmã, mãe, namorada e maior amigo, ao mesmo tempo. Eu gostava dela pra burro, o senhor entende? Um dia ela foi a Buenos Aires e me escreveu uma carta dizendo: viver sem você é difícel; com *e*. Eu achava ela tão bacana e perfeita que fiquei constrangidíssimo com aquele erro de grafia, sentindo vergonha, como se tivesse cometido, eu mesmo, o pior dos enganos. Como? o senhor acha que foi isso que fez com que eu começasse a me desinteressar dela? Mas o senhor está maluco, sim, eu me lembro disso esses anos todos depois, mas isso só vem provar o meu amor por ela. O amor, meu caro, se manifesta das mais estranhas maneiras. O senhor está vendo esse dente aqui? Pois ele é um dente falso, o que os dentistas chamam de pivô. Quando o dentista me cortou o dente eu telefonei para ela e disse que não podia me encontrar com ela. Nós nos encontrávamos todas as noites. Ela perguntou por que e eu inventei uma desculpa. Naquele tempo eu trabalhava no jornal, de noite, como revisor, e saía de casa às oito horas. Pois bem, quando saí de casa lá estava ela na porta do edifício. Perguntou — por que você não quer falar comigo? Eu disse rapidamente, virando o rosto para que ela não visse a falha do dente — não posso, e saí andando depressa, sem olhar para trás. Fui para a praia do Flamengo e peguei o ônibus, o primeiro que passou. Quando o ônibus já estava quase no centro da cidade um táxi fechou a frente dele, alguém saltou do táxi e entrou no ônibus. Era ela. Estava séria, e pálida, decidida a saber a verdade de qualquer maneira. Eu a fiz sentar perto de mim no ônibus, encostei a sua cabeça no meu ombro e contei tudo, que eu não tinha um dente e tinha vergonha que ela me visse assim. Ela quis ver, mas eu não tive coragem de mostrar. Veja o senhor, naquela ocasião ela me amava, talvez mais do que eu a ela: para ela não tinha importância um dente a mais ou a menos na minha boca e eu preocupado com o *e* do difícel dela.

O tempo ia passando e eu começava a ficar indócil na estação. Faltavam cinco minutos para o trem partir quando ela surgiu, com um casaco grosso (nós sabíamos que em São Paulo estava fazendo frio). Um sujeito carregava suas malas, e isso me encheu de pânico. Quem seria? Um parente, um tio? Olhei o rosto dela mas o rosto dela, quando sério, era sempre trágico — doce, mas trágico — e triste, e assim ela estava naquela noite, caminhando pela plataforma na sua passada larga. Mas não pense o senhor que o seu rosto era tristeza só, isso lhe daria uma ideia falsa do que ela era. Tinha o sorriso mais bonito que qualquer mulher já teve ou terá em qualquer parte do mundo, um sorriso que só aparecia quando ela estava feliz, pois ela nunca ria por cortesia ou fingimento; e por ser verdadeiro, e raro, ele enchia meu coração de felicidade, era como se eu tivesse tomado uma injeção de heroína. O amor existe, fique sabendo. Quando ela chegou, acompanhada daquele estranho, eu confesso que tive medo. E me escondi, me embarafustei pelo trem adentro e fui parar no carro-restaurante, assustado. Depois de algum tempo dirigi-me à cabine, bati na porta, ela abriu e eu, após verificar que somente ela estava lá dentro, perguntei: quem era aquele cara que estava com você? Que cara?, respondeu ela. Aquele cara carregando tua mala. Ah! aquele!, foi um rapaz que se ofereceu para me ajudar. E por que você deixou?, interpelei eu, por que você não arranjou um carregador? Não vi nenhum, disse ela. Ora não viu nenhum, tá cheio de carregador por aí, retruquei eu.

Quanta besteira. A mocidade é mesmo uma doença. Perdemos quase meia hora nisso. Por culpa minha, que sentia ciúme do estranho e raiva do medo que ele me fizera passar. Ela não, ela sempre foi uma mulher adulta apesar de ser uns cinco anos mais moça do que eu. Naquela época ela era ainda uma menina, mas já sabia o que queria. Apagamos as luzes da cabine e na penumbra eu via, e sentia, o seu jeito de corcinha, à espera do que ia acontecer. O luar entrava pela janela. Em pouco tempo estávamos nos abraçando furiosamente. Por que eu estou lhe contando tudo isso? O senhor nem saberá quem era ela. O senhor não me conhece, ninguém me conhece, eu sou um popular anônimo, um perfeito desconhecido, meu retrato nunca saiu no jornal. Não pense que lhe estou contando uma história de safadezas, só de pensar que o senhor pode pensar uma coisa dessas tenho vontade de lhe quebrar a cara, ouviu? Estou lhe contando a coisa mais séria e mais bonita que já aconteceu comigo, comigo, um cretino, um imbecil, um pobre-diabo, um infeliz que um dia teve nas mãos a maior riqueza, que me tinha sido dada, como uma bênção, e eu não percebi e joguei fora. Este cigarro está ardendo na minha língua, preciso deixar de fumar e de beber mas não agora, um dia. Dentro da cabine abraçados, o rosto dela brilhava na penumbra, mas nem eu nem ela tivemos coragem. Ela me pediu que jogasse a seiva da minha paixão sobre o seu seio de bicos marrom-escuro, duros e isso eu fiz, ajoelhado, com o corpo dela entre as minhas pernas. Depois deitei ao seu lado. Senti que com aquilo ela quisera ser marcada por mim, não pela minha mão, ou pelos meus dentes, mas por algo transcendental que ela mesmo fabricara no fundo do meu ser, algo que depois de lavado e invisível ao olho, continuaria queimando a sua pele, a carne do seu seio, seus ossos, o seu coração, para o resto da vida. Somente dois jovens se amando tão fundo poderiam ter feito aquilo, com aquela pureza. Nenhum de nós conseguiu dormir e, deitados lado a lado, de mãos dadas, ficamos o resto da noite. O senhor está chocado com o que eu estou lhe contando? Pois olhe, se isso tivesse acontecido com qualquer outra mulher, entre mim e outra mulher qualquer, talvez pudesse ser considerado um ato de, digamos, libidinagem, para usar uma palavra realmente desagradável, do gosto dos jornalistas. Mas com ela não, nem naquela época, nem depois, nem hoje, nem nunca, aquilo foi, ou teria sido, uma coisa feia.

Eu acho que lhe disse que a nossa viagem era cheia de medos. Uma coisa horrível que existe no mundo é o fato de os jovens não terem liberdade para amar. Mas pior ainda do que isso é que eles não sabem amar; e no entanto foram feitos para o amor. Não sei se o senhor me entende: uns fogem do amor e outros o procuram com sofreguidão, mas no fim o que fica, em todos, é a mesma coisa, uma insuportável sensação de vazio. Aqui, tin-tin, saudemos o vazio de todos nós. Sabe o senhor que estamos bebendo há horas e esse é o primeiro, e certamente o último brinde que fazemos? Brindes são feitos para ocasiões festivas e eu estou com a pior disposição possível; não sou um homem de confidências, de contar tristezas, ou alegrias, de me abrir, para quem quer que seja, de fazer catarse com amigo ou padre, e no entanto aqui estou eu, colocando em cima da mesa todas as minhas dores e vergonhas para serem espiadas por um estranho que talvez não entenda o que está ouvindo. Mas o senhor é bom ouvinte, e isto basta, e eu lhe agradeço. Muito obrigado. Não quero a sua compreensão. Ninguém entende ninguém.

Em São Paulo fazia uma daquelas manhãs cinzentas, frias, de frio úmido. Para nós aquilo era muito estimulante. Quando chegamos no hotel o nosso medo voltou. O senhor já notou como, no fundo, são antipáticos, desagradáveis, horríveis mesmo, todos os recepcionistas de hotel? Eles tentam ser amáveis, mas é uma espécie de amabilidade gasta, falsa e basta olhar para a cara deles para ver que eles têm ódio disfarçado do hóspede poderoso, e desprezam o humilde. Eu pedi um apartamento de casal, e assinei na ficha senhor e senhora fulano de tal. Ela tinha virado para a palma da mão a pedra do seu anel para que parecesse uma aliança, que ela mostrou colocando a mão fechada sobre o balcão. O recepcionista me olhou, me mediu e afinal chamou o rapaz para levar nossas malas.

Posso vê-la, agora, com nitidez, em pé, no apartamento, sorrindo para mim, nós dois sozinhos, as portas fechadas.

Meu Deus, como gravei tudo dela, as coisas mínimas: uma pequena abertura entre os seus dentes incisivos; o desenho das sobrancelhas; a meia-lua das unhas nos dedos finos e longos; a planta bem-delineada do pé, uma pequena marca no rosto — basta fechar os olhos que vejo isso tudo. E as coisas grandes: coração puro, inteligência sutil, generosidade, o amor por mim, o olhar limpo — basta fechar os olhos e sentir a dor da lembrança me comer cá dentro. Que alegria, a nossa, dentro daquele quarto. Fomos para a janela e do alto contemplamos São Paulo como se estivéssemos vendo a cidade pela primeira vez. Como era grande a nossa história, como era longa a nossa vida em comum. Foram anos. Viu o senhor a oportunidade que eu tive? Eu a amava. Eu queria casar com ela. Mas quando fui a São Paulo já não queria mais. Engraçado, só agora é que estou percebendo isso. Acho que é porque eu achava que casamento era uma besteira. Mas também não queria tê-la como outra coisa, pois gostava demais dela para isso. Eu tinha uma vaga noção de que precisava ficar livre, e depois, um pilantra como eu, que tinha que trabalhar de noite em jornal, ganhando uma miséria, não podia casar com ninguém. Serei culpado de alguma coisa?

O amor é generosidade, compreensão, ausência de egoísmo, mas no entanto os amantes são egoístas, mesquinhos e intolerantes, porque essa é a condição humana. Acontece que na fase de aguda excitação psíquica que caracteriza todo amor essas coisas não aparecem com muita nitidez. Olha aqui, eu já estou meio cansado para poder lhe explicar esse ponto direito e o pior é que ninguém explica. Freud foi um sujeito que nunca amou, eu não acredito em Freud, o senhor acredita? Freud é uma questão de fé, ou a gente crê nele ou não crê. Eu não creio. A mesma coisa com Marx. A única coisa que a gente pode fazer com eles é botar, ou não botar, o retrato na parede.

Nós andávamos pela cidade sem nos incomodarmos com a garoa fina que caía, sem pressa de voltar para casa. Todas as pessoas que viajam apreciam essa sensação de andar pelas ruas de uma cidade que não é aquela em que se vive, sem pressa, sem hora de voltar para casa. Por quê? Porque não há casa, lar doce lar, para onde voltar. A casa é uma prisão, mesmo se você vive sozinho. Uma prisão à qual você se acostuma, como os animais do jardim zoológico se acostumam com as suas jaulas.

Eu e ela gozávamos a nossa liberdade, pensando que era turismo o prazer que sentíamos. Voltávamos para o hotel sem olharmos para relógio. Às vezes íamos ao cinema, ou ao teatro, havia ocasiões em que nos sentávamos numa praça pública e víamos as pessoas passarem.

O senhor já amou? Não se ofenda se lhe pergunto isso, mas milhões de pessoas nunca amaram. Há aqueles que amaram seus livros, seu cachorro, seu país, suas roupas, suas joias, seu automóvel, mas eu não falo disso, nem de amor paterno ou fraterno — tudo isso é besteira comparado com o amor da mulher que amamos e nos ama; e que temos vontade de matar quando achamos que não nos ama mais. Uma coisa grande. Bebíamos champanhe no quarto, que eu levava da rua escondido no sobretudo. Mas mesmo bêbados nós nunca tivemos coragem. Tomávamos banho juntos e dormíamos abraçados, nus, mas não tínhamos coragem. Houve um momento em que tentamos, mas um gemido de dor me fez recuar. Eu tinha de protegê-la, entendeu?, de todos os males. Estaria fazendo um mal maior agindo daquela maneira? Na ocasião parecia que não. Na verdade eu até estava satisfeito, portava-me como um cavalheiro, sacrificava-me por ela, a menininha que eu amava.

Chegou um dia que tivemos que voltar. Viemos de avião e foi naquela hora — de viajar, que tudo acabou. Ela estava triste, calada, não respondia às perguntas que eu lhe fazia. Também fiquei calado. Vi depois que ela chorava, sem soluços, imóvel, as lágrimas escorrendo em silêncio. Eu sentia que não havia nada que eu pudesse dizer ou fazer. Ela sabia que eu não a amava, que eu estava me despedindo dela naquele dia, que era o fim.

Era o fim mesmo. Mas eu não me importava muito com isso. Ela parecia morrer ao meu lado, mas eu não sentia a menor dor. Só vim a sofrer muito tempo depois. Lentamente comecei a sentir saudades dela e quanto mais tempo passava mais eu sentia a sua ausência. Anos, muitos anos já se passaram, eu nunca mais a vi, mas cada vez ela está mais perto de mim: esqueci todas as outras mulheres que conheci depois, nem mesmo me lembro do nome de muitas, mas dela eu lembro tudo, tudo. Estranho, o senhor não acha?

NATUREZA-PODRE OU
FRANZ POTOCKI E O MUNDO

Hoje já não é assim, mas houve época em que o interesse pela natureza-podre era tão grande que o seu criador, Franz Potocki, e alguns hábeis imitadores, ganharam verdadeiras fortunas.

É claro que havia pessoas para as quais a natureza-podre não passava de uma piada de mau gosto. Mas os seus defensores (e esses eram milhões) redarguiam que a arte não pode ser encarada do estreito ponto de vista estético das chamadas Belas Artes. Um crítico da província, certa ocasião, defendendo Potocki, disse que arte era a natureza vista através de um temperamento e que a natureza-podre de Potocki era a sua visão particular do mundo. Outro crítico, este da cidade, explicou Potocki segundo a teoria de Einfühlung, partindo do pressuposto de que todos os homens carregam dentro de si a podridão e outra coisa Potocki não fazia senão estabelecer uma empatia entre a podridão implícita na natureza humana e a criação estética. Mas é claro que não pararam aí as especulações dos críticos. A análise mais aceita na ocasião foi a de que a arte de Potocki derivava de um pavor atávico e supersticioso das forças misteriosas da natureza; através da sua arte, Potocki procurava aplacar os poderes hostis da natureza, rendendo-se a eles.

Enquanto isso os quadros de Potocki eram vendidos a peso de ouro. As pessoas faziam fila na porta do seu estúdio. Muitas vezes o quadro era levado, pelo comprador ansioso, sem a tinta ter secado ainda. Alguns de seus quadros foram vendidos por muitos milhões, como o "Getúlio Podre", leiloado na sede do Partido Trabalhista.

Sua série de "Orquídeas Podres" foi vendida inteiramente para a condessa Pepinelli e a condessa teve que dar oito recepções seguidas para que todos os seus amigos pudessem contemplar a última criação de Potocki. Entrevistada na casa de saúde, onde foi internada devido à fadiga resultante das recepções, a condessa, conhecida colecionadora de arte, declarou que Potocki era o maior artista vivo do mundo.

A celeuma em torno de seu nome não perturbava Potocki. Quando ele vendia um quadro não era o dinheiro que recebia que o emocionava; ele gostava de estudar os olhares que o comprador lançava sobre o quadro que acabara de adquirir. Às vezes ele prendia o comprador em seu estúdio para contemplar por mais tempo as reações do mesmo ao ver o quadro.

Ninguém jamais vira Potocki no ato de pintar. No entanto, ele não fazia nenhum segredo das tintas que usava, ou da técnica que empregava. Mas nem por isso os seus rivais e imitadores deixavam de dizer que a evanescência do seu cinza e a profundidade do seu negro indicavam o uso de algum ingrediente secreto.

Era um homem calado e introvertido.

Chamado a ir à televisão, Potocki não disse uma palavra, nem mesmo para responder a um telespectador que lhe perguntou por que motivo ele pintara a própria mãe "daquele jeito".

Não ter um Potocki em casa, um pelo menos, passou a ser algo deselegante, mesmo vergonhoso. Pessoas sem posses compravam seus Potockis a prazo nas galerias, pagando juros extorsivos, onde os naturezas-podres espalhados pela parede criavam, diziam, um clima de humildade e paz superior ao da ascese. A fotografia de Potocki saiu em todas as revistas; documentários cinematográficos foram feitos sobre a sua obra; as mulheres o achavam um homem fascinante.

Era rara a reunião fina em que não se discutisse a obra de Franz Potocki. Algumas pessoas achavam o vocábulo natureza-podre chocante, conquanto, mesmo estes, reconhecessem que a pintura de Potocki possuía um fascinante dinamismo, repugnante e pervertido, que não se encontrava em nenhum outro tipo de pintura.

Estranhamente, as crianças gostavam dos quadros de Potocki. Os professores de desenho e pintura nas escolas primárias reportaram que todas as crianças, sem exceção, estavam fazendo quadros à maneira de Potocki. A Associação dos Pais de Família publicou nos jornais uma carta aberta aos poderes competentes exigindo providências da parte das autoridades e dos educadores no sentido de verificar se aquela influência não seria prejudicial ao caráter infantil. O ministro de Educação nomeou uma comissão de inquérito, composta de técnicos de renome, a qual, depois de dois anos de estudos, viagens ao Louvre e ao Prado, elaborou um documento de um milhão e quatrocentas e vinte mil palavras, por todos recebido como uma importante contribuição à cultura do país.

Nessa mesma época o governo o encarregou de pintar um painel no novo aeroporto, de dez metros de largura por três de altura.

Na inauguração do painel compareceram as mais altas autoridades, houve discursos, sendo que alguém disse que o painel era um importante legado cultural deixado às gerações futuras.

Apesar de coberto de glórias e honrarias, e de dinheiro, Potocki era infeliz. As pessoas que o viam silencioso e ensimesmado, descuidado no trajar (às vezes nem mesmo fazia a barba) faziam considerações. Ele tem tudo na vida, por que essa melancolia? Quando alguém lhe dizia isso Potocki se irritava consideravelmente. Ele achava que nada tinha, que aquelas coisas que lhe diziam nas vernissages (ele odiava, aliás, essas reuniões) nada significavam, pois na verdade as pessoas mostravam um total desconhecimento dos seus objetivos ao pintar aqueles quadros. Ele mesmo não sabia ao certo o que queria dizer, mas o esforço para fazer cada quadro quase o matava; quantas vezes seu corpo tremera tanto que a espátula lhe caíra das mãos; ou sua vista escurecera e ele desmaiara para acordar horas depois no chão do estúdio. Como suportar, pois, frente aos seus quadros, homens perfumados fazendo piruetas, mulheres de voz estridente gritando adjetivos, umas às outras? E a maneira pela qual o olhavam? E trocavam segredos, ao vê-lo? E quanto mais infeliz ele se sentia e mais ensimesmado se fazia, mais eles o olhavam e mais cochichos eram trocados. Ele se lembrava que era assim, dessa maneira, que, quando menino, olhava nos circos para os anões, os gigantes, o homem tatuado, a mulher barbada.

Às vezes ele tentava entender as pessoas. Mas por mais que se esforçasse não conseguia aguentar a conversa que se estabelecia. Então se calava e a conversa morria.

Não se sabe ainda como, e por que, mas o certo é que subitamente, quase da noite para o dia, o interesse em Potocki e nas naturezas-podres começou a diminuir. Primeiro acabaram as filas de compradores que dia e noite aguardavam na porta do estúdio a oportunidade de comprar um de seus quadros; depois os jornais e as revistas não publicaram mais sua fotografia ou notícias a seu respeito. Mas a venda de seus quadros ainda continuou por alguns meses, pois as galerias possuíam grandes estoques de naturezas-podres que haviam adquirido para vender por alto preço no mercado negro. Surpreendidas pelo inesperado desinteresse do público, as galerias continuavam, já agora com grande esforço e por preço vil, a vender quadros de Potocki. Mas depois de algum tempo, nem o baixo preço, a divisão em prestações mensais, os substanciais descontos, e outras técnicas de venda das galerias conseguiam vender os quadros de Potocki.

Em seguida ao desinteresse pelos quadros começou a surgir um movimento de repulsa pelos mesmos. As pessoas começaram a tirá-los da parede e guardá-los nos porões e sótãos. Dizia-se que davam azar. Conquanto nem todos acreditassem nisso — os colecionadores são pessoas de posição e cultura, características incompatíveis com a superstição —, centenas de pessoas, soube-se, queimaram os seus Potockis. Outros se desfizeram deles de maneira menos drásticas, mas não menos eficazes.

Não se sabe ao certo o que pensava Potocki disto tudo. Alguns achavam que ele já esperava que aquilo ocorresse; outros diziam que havia ficado tão magoado com a perda de popularidade que tivera uma crise de nervos e fora internado numa casa de saúde; outros diziam que ele simplesmente morrera.

Mas que ele não morrera, pelo menos até a ocasião em que estes comentários se fizeram, é certo. Pois Potocki ainda foi visto mais uma vez quando substituíram o seu painel no novo aeroporto. Foi realmente um espetáculo. Um número grande de operários foi mobilizado, plataformas erigidas, roldanas montadas, e a enorme peça de madeira foi retirada da grande parede da parte sul do novo aeroporto, sob os olhares indiferentes da multidão.

Logo em seguida foi colocado outro painel em seu lugar. Era um cavalo vermelho-rutilante pintado por um médico que se tornara pintor. Todo o seu corpo brilhava e sua respiração, sentia-se, era profunda, como se ele tivesse acabado de correr ou estivesse no cio. Foi ali, entre as pessoas que se acotovelavam para apreciar aquele animal que parecia ser feito, a um tempo, de sangue e sonho, que Potocki foi visto pela última vez.

O AGENTE

A placa dizia "Imobiliária Ajax", e o agente subiu ao segundo andar. Na sala só havia uma mesa, uma cadeira e um homem sentado nela, imóvel, olhando para o teto.

O agente olhou para ele e disse:

"Sou do Instituto de Estatística e venho fazer o seu questionário."

"Que questionário?", perguntou o homem que estava na mesa.

"Nome, nacionalidade, estado civil — esses dados todos."

"Para quê?"

"Para o recenseamento, para sabermos quantos somos, o que somos."

"O que somos? Isso não", disse o homem da mesa, com certo pessimismo.

"O recenseamento nos dará a resposta de tudo", disse o agente.

"Mas eu não quero saber de mais nada", disse o homem. "O senhor não está vendo", acrescentou, subitamente aborrecido, "que eu estou ocupado?"

"O senhor me desculpe", disse o agente, "mas sou obrigado a preencher a sua ficha, o senhor também é, de certa forma, obrigado a colaborar. O senhor não leu a proclamação do presidente da República?"

"Não."

"Foi publicada em todos os jornais. O presidente disse— "

"Isso não interessa", disse o homem levantando da cadeira abrindo os braços, "por favor."

Mas o agente, lápis em uma das mãos e formulário na outra, não tomou conhecimento do pedido. "Seu nome?", inquiriu.

"José Figueiredo. Mas isso não vai lhe adiantar de coisa alguma", disse o homem, sentando novamente.

O agente, que já tinha escrito "José" no formulário, parou e perguntou:

"Por quê? O senhor não está me dando um nome falso, está?"

"Não, oh! não. Meu nome é José Figueiredo. Sempre foi. Mas se eu morrer amanhã, isso não falsificará o resultado?"

"Esse risco nós temos que correr", respondeu o agente.

"Morrer?"

"Sempre morre alguém durante o processo de recenseamento, porém está tudo previsto. Outros nascem, porém está tudo previsto. Está tudo previsto", disse o agente.

"Quer dizer que eu posso morrer amanhã sem atrapalhar a vida de ninguém", perguntou José.

"Pode — ora, o senhor não está com cara de quem vai morrer amanhã; está meio pálido e abatido, de fato, mas o senhor toma umas injeções, que isso passa. Estado civil?"

"O senhor pode guardar um segredo?", disse José.

"Viúvo?", disse o agente.

"Um segredo que vai durar pouco?", continuou José.

"Eu só quero saber o seu estado civil, a sua—", começou o agente.

"Eu vou me matar amanhã", cortou José.

"Como? Isso é um absurdo! O senhor está brincando comigo?"

"Olhe bem para mim", disse José, "estou com cara de quem está brincando com o senhor?"

"Não", disse o agente.

"Não escrevi nenhuma carta de despedida; ou melhor, escrevi, escrevi várias, mas nenhuma me agradou. Além do mais, não sabia a quem endereçá-las: ao delegado de polícia? — impossível; A Quem Interessar Possa? — muito vago."

"Que coisa," murmurou o agente. "O senhor vai se matar mesmo?"

"Vou. Mas o senhor não precisa ficar tão chocado", desculpou-se José.

"Mas isso é um absurdo", disse o agente, pela segunda vez naquele dia. "O senhor não gosta de viver?"

"Bem", disse José botando a mão na face e olhando para o teto, "há certas coisas que eu ainda gostaria de fazer, como beijar uma menina loura que passou por mim na rua ontem, tomar com ela um banho de mar e depois deitar na areia e deixar o sol secar meu corpo. Mas isso deve ser influência do céu", disse ele olhando para a janela, "que está hoje muito azul."

"Concito-o a abandonar esse propósito. Prometa-me que não irá cometer esse gesto", disse o agente. "Eu estou com pressa", acrescentou imediatamente, quando viu que José balançava a cabeça.

"Já decidi; não posso mais voltar atrás."

"Isso é uma loucura. Eu não posso ficar aqui até amanhã, a vida inteira, procurando convencê-lo da sua insensatez. Não posso perder meu tempo" continuou, agora ainda com mais vigor, "também preciso viver; cada dez minutos do meu tempo corresponde a um questionário; cada questionário correspondem a cento e setenta cruzeiros e cinquenta centavos."

"Eu aprecio muito o seu interesse", disse José.

"De nada, de nada", disse o agente, olhando para o chão. "Ainda não fiz nada hoje", acrescentou depois de uma pausa.

José levantou-se e estendeu a mão. Apertaram as mãos em silêncio.

O agente desceu as escadas lentamente. Quando chegou à rua, tirou uma folha de endereços do bolso e, com um lápis, riscou o nome "Imobiliária Ajax". Olhou então o relógio e apressou o passo.

OS PRISIONEIROS

Numa sala, um sofá, um homem deitado no sofá sem paletó, com a gravata afrouxada. Ao lado, uma mulher de preto, sentada numa cadeira.

PSICANALISTA: O senhor não gosta de roupa esporte; é essa a razão?

CLIENTE: É muito chato vir de roupa esporte para a cidade, num dia útil. Parece que não trabalho, que sou um aposentado, um vadio, uma coisa dessas.

PSICANALISTA: Mas por que se incomodar com isso? O senhor está de licença para tratamento de saúde, recebendo regularmente pelo Instituto. Esse é o seu trabalho: tratar de sua saúde.

CLIENTE: Mas e os outros que me veem na rua, flanando de roupa esporte! Que digo para eles? Ou não digo nada e carrego, como os cegos, uma tabuleta, ou bordo nas costas da camisa a frase: em tratamento de saúde. Gostaria que a senhora me dissesse qual a maneira de identificar o louco de bom comportamento. Os cegos carregam uma bengalinha branca; os surdos uma corneta acústica ou um transistor inconspícuo na haste dos óculos; os mancos uma bota ortopédica, os paralíticos uma cadeira de rodas ou um par de muletas. E os malucos de bom comportamento, como parece ser o meu caso? Hein? A senhora não tem uma boa ideia? *(Mudando de tom).* Aliás a senhora não tem uma boa ideia desde que a conheci.

PSICANALISTA: Já começa o senhor com a sua agressividade. Eu lhe disse em nossa última sessão que isso não passa de uma fraca defesa. Desde o primeiro dia o senhor se entrincheirou e não quer abandonar essa posição de antagonismo. *(Pausa)* O senhor está com medo que eu o seduza.

CLIENTE: *(Dá uma gargalhada)*

PSICANALISTA: *(Incisiva)* O senhor está com medo que eu o seduza.

CLIENTE: *(Pensativo)* Por que será que a senhora me disse isso? Engraçado, as coisas que a senhora me diz me deixam na maioria das vezes indiferentes; às vezes, raramente, me irritam. Essa, me deu pena da senhora.

PSICANALISTA: Pena de mim? Por quê?

CLIENTE: Eu sei por que a senhora me disse isso.

PSICANALISTA: Então diga.

CLIENTE: A senhora é casada?

PSICANALISTA: *(Pequena hesitação)* Não.

CLIENTE: Já foi psicanalisada, não foi?

PSICANALISTA: Claro.

CLIENTE: A senhora é virgem?

PSICANALISTA: *(Hesitação)* Isso não ajuda nada ao senhor.

CLIENTE: *(Sentado no sofá)* É ou não é?

PSICANALISTA: *(Recuando e apoiando as costas no encosto da cadeira)* Sou. *(O cliente deita com um suspiro de satisfação e fica de olhos fechados como se estivesse dormindo. A psicanalista por momentos permanece encostada na cadeira)*

PSICANALISTA: *(Empertigando-se, sentada)* O senhor quer encerrar nossa sessão de hoje?

CLIENTE: Não. Não. Ainda não acabei com a senhora. O seu psicanalista foi um homem, não foi?

PSICANALISTA: Foi.

CLIENTE: E, um dia, numa das sessões, ele lhe disse *(imitando)* "a senhora está com medo de ser seduzida por mim" — não disse? Sendo virgem, a senhora devia viver, ou talvez viva, ainda, com esse medo, ou essa vontade, de ser seduzida, as duas coisas se confundindo, deixando-a perplexa. Agora a senhora vem e repete a mesma coisa para mim, como se tudo fosse uma lição de piano.

PSICANALISTA: O senhor já pensou em outra hipótese? Por exemplo: pode ser que eu esteja com medo de ser seduzida pelo senhor, e esteja transferindo esse sentimento.

CLIENTE: Eu não tinha pensado nisso.

PSICANALISTA: *(Sorrindo)* Vê, o senhor não sabe todas as respostas.

CLIENTE: E a senhora sabe?

PSICANALISTA: Eu não. Nem mesmo sei por que o senhor tem pena de mim.

CLIENTE: Por que tenho pena da senhora? *(Levanta-se)* Epa! Espere aí. A senhora não vai agora dizer que estou com pena é de mim e, tortuosamente, digo que tenho pena da senhora. Daqui a pouco vai perguntar sobre a minha mãe, eu sei.

PSICANALISTA: Se o senhor quer falar sobre a sua mãe, pode falar. O senhor não quer se deitar? Fica mais confortável.

CLIENTE: Meu Deus! Será que a senhora não se livra das fórmulas?

PSICANALISTA: Que fórmulas? *(Levanta-se)*

CLIENTE: *(Irritado)* Isso tudo é muito ridículo. Acho que estou perdendo o meu tempo.

PSICANALISTA: Sendo assim, o senhor não devia fazer psicanálise. Pelo menos comigo.

CLIENTE: Faço porque o Instituto está pagando. Dizem que o Instituto arranja os médicos mais ordinários para os seus doentes.

PSICANALISTA: O senhor está pagando. Não descontou sempre para o Instituto?

CLIENTE: Está certo. Eu estou pagando. Então é pior ainda: estou jogando o meu dinheiro fora.

PSICANALISTA: O senhor não é obrigado a fazer psicanálise.

CLIENTE: *(Impaciente)* Eu já disse uma porção de vezes: sofro de umas síncopes, perco o ar, desmaio. Quando isso aconteceu pela primeira vez, os clínicos disseram que eu devia ter um foco infeccioso. Tiraram-me as amígdalas. Piorei. Tiraram-me o apêndice. Piorei. Fiz operação de sinusite. Eles foram ficando desesperados e arrancaram todos os dentes da minha boca. Passei a ter dois ataques por semana. A senhora sabia que todos os meus dentes são postiços? Eu tinha ótimos dentes.

PSICANALISTA: Não tinha notado.

CLIENTE: *(Passando o polegar e o indicador da mão direita nos dentes superiores)* Imbecis. Fiz cardiograma, nada. Encefalograma, nada. A não ser uma pequena disritmia, oriunda de pancadas na cabeça quando era criança. Vesícula, bexiga, próstata, intestinos, baço, fígado, tudo perfeito. Eles só tinham uma saída: dizer que eu era neurótico. Mandaram-me para um médico psiquiatra, que parecia o Carlitos. *(Pensativo)* A única diferença é que ele usava roupa cinza o tempo todo.

PSICANALISTA: E depois?

CLIENTE: *(Bocejando)* Depois fizeram sonoterapia. Um mês na base do amplictil e outras pílulas coloridas. Dormi pra burro, engordei, mas não deixei de ter os mesmos colapsos: às vezes o meu pulso subia a duzentos.

PSICANALISTA: Duzentos?

CLIENTE: Duzentos. Como não desse resultado, passaram à convulsoterapia.

PSICANALISTA: Insulina?

CLIENTE: Quilowatt. Também não adiantou. E assim, dos clínicos aos psiquiatras, o abacaxi foi passado adiante aos psicanalistas, ou seja *(aponta com o dedo)*, a senhora. A senhora é a minha última chance.

PSICANALISTA: Pode confiar em mim.

CLIENTE: *(Aflito)* Eu tenho que confiar na senhora. Hoje, quando vinha para cá, no meio da rua, as minhas pernas pareciam de chumbo, o coração disparando, uma sensação horrível. *(Leva a mão ao peito)* Eu estou sentindo a mesma coisa agora, veio de repente.

PSICANALISTA: É melhor o senhor se deitar.

CLIENTE: Não posso andar *(Faz uma cara de dor)*.

PSICANALISTA: Tente. O senhor pode sim, tente, por favor, o senhor pode.

CLIENTE: Não posso. Não posso. Meu pulso! *(Os dentes cerrados respira ofegante)*

PSICANALISTA: O senhor pode!

CLIENTE: Não! *(Com voz autoritária)* Puxe esse sofá para cá!

PSICANALISTA: Pronto.

(O cliente cai pesadamente no sofá com as pernas pra fora. A psicanalista curva-se e levanta as pernas do homem do chão, com esforço enorme, como se elas fossem mesmo de chumbo. Estendido no sofá o *cliente respira pesadamente)*

CLIENTE: Meu pulso! Veja!

PSICANALISTA: *(Segurando o pulso do cliente — desesperada)* Eu não tenho relógio. Meu Deus! *(Segura e larga o pulso do cliente)* ele não pode morrer aqui. *(Grita)* Maria, Maria.

(A sala se ilumina. Uma porta, a única da sala, se abre e surge uma mulher jovem de uniforme branco)

PSICANALISTA: *(Continuando)* Um médico, chame, depressa, o clínico do 808.

(Maria sai da sala. A psicanalista anda nervosamente. Entra o *clínico, de avental branco, carregando uma maleta preta)*

CLÍNICO: O que foi que aconteceu? Sua secretária me chamou dizendo que um homem —

PSICANALISTA: Aqui, doutor *(Aponta para o homem no sofá)*. É um cliente meu, um neurótico, teve um colapso.

CLÍNICO: Neurótico?

PSICANALISTA: *(Nervosa)* Psicótico, não sei. Um estranho quadro patológico. Ele costuma ter colapsos, os clínicos não descobriram a causa. Foi submetido a tratamento psiquiátrico e não melhorou. Agora está fazendo psicanálise.

CLÍNICO: Melhorou?

PSICANALISTA: Não. O senhor está vendo que não. Mas a psicanálise é um processo demorado e ele está comigo há pouco tempo.

CLÍNICO: Hum... *(Toma o pulso do cliente. Abre a maleta preta, tira uma seringa, uma ampola, prepara uma injeção que aplica no braço do cliente)*

PSICANALISTA: Como está ele, doutor?

CLÍNICO: A senhora devia saber; ele é seu cliente.

PSICANALISTA: Mas eu não sei. O senhor fica satisfeito de ouvir isso! *(Grita)* Eu não sei!

CLÍNICO: Vai voltar a si *(Afirmativo)*. Mas a psicanálise não vai melhorá-lo. Já tive um cliente assim. O homem deve ter um foco infeccioso seriíssimo.

PSICANALISTA: *(Falando e rindo nervosamente)* Mas ele arrancou os dentes, as amígdalas, o apêndice, a próstata, tudo atrás de um foco que não existia. Fez operação de sinusite, tubagem. *(Explode numa gargalhada)*

CLÍNICO: A senhora está histérica.

(A psicanalista para subitamente; o *cliente, no sofá, mexe-se e murmura palavras incompreensíveis)*

CLÍNICO: *(Secamente, fechando a maleta)* Creio que já posso ir-me embora.

PSICANALISTA: Um momento, um momento, por favor. O senhor vai deixá-lo assim?

CLÍNICO: Ele é seu cliente; não é meu. Este ataque já não oferece mais perigo... creio. *(Curva-se e examina o cliente no sofá)* É estranho...

PSICANALISTA: O quê? *(Aproxima-se)*

CLÍNICO: Ele está suando só do lado direito do rosto.

PSICANALISTA: *(Agitadamente)* E do corpo. Veja, só o lado direito do corpo está suando. Ele me disse que costumava suar só de um lado do corpo, às vezes do esquerdo, às vezes do direito *(mudando de tom, agora desconsoladamente)* e eu não acreditei nele.

CLÍNICO: Que coisa estranha. Antigamente isso teria sido considerado um milagre. Ele sofre de alucinações?

PSICANALISTA: Não.

CLÍNICO: Ele é casado?

PSICANALISTA: Solteiro. As pessoas solteiras enlouquecem mais do que as casadas.

CLÍNICO: Isto está provado estatisticamente?

PSICANALISTA: Estatisticamente.

CLÍNICO: É, mas o fato de ele suar só de um lado não prova que ele seja louco. *(Balançando a cabeça)* Não prova.

PSICANALISTA: Há casos em que ninguém pode provar que uma pessoa esteja louca, a não ser ela própria. Ele se recusa a isso.

CLÍNICO: Então ele está bom: é o seu raciocínio.

PSICANALISTA: Não sei. Confesso que estou confusa. Ele acha que está bom, e para falar a verdade eu também acho que ele está bom. *(Exclama)* Mas e os colapsos? E o suor? As pernas de chumbo?

CLÍNICO: Também não sei o que dizer.

PSICANALISTA: Ele não tem família, ninguém, só o Instituto.

CLÍNICO: *(Confortadoramente)* Essas síncopes acabam matando-o. *(Longo silêncio)* Eu tenho mesmo que ir embora. Meus clientes me esperam.

PSICANALISTA: Estou tão cansada!

O INIMIGO

PRIMEIRO TEMPO

1 — Estou pensando muito, o que sempre acontece antes de me deitar, na hora em que fecho as portas da casa. Isso me deixa excessivamente irritado, pois, quando volto para a cama, apesar dos processos mnemônicos que usei para ter certeza de que fechei portas e janelas, a dúvida me assalta e eu tenho que levantar novamente. Há noites em que levanto cinco, seis, sete vezes, até que afinal, dissipadas todas as incertezas, adormeço tranquilo. Hoje, por exemplo, já levantei duas vezes para ver se as portas estavam de fato fechadas, mas acabei não vendo direito. Os processos mnemônicos que estava usando pareciam ser bons. Na janela da varanda dei uma pequena cusparada por entre as venezianas e verifiquei, enquanto fechava o trinco, uma gota de saliva balançando e refletindo a luz da lâmpada na rua. Na porta da frente, enquanto passava o trinco, exclamei em

voz alta "alea jacta est", duas vezes. Na porta dos fundos, após fechá-la, levantei a perna e toquei com a planta do pé a maçaneta. Estava fria. Depois me deitei, esperando voltar traquilo a Ulpiniano-o-Meigo, Mangonga, Najuba, Félix, Roberto e Eu mesmo. Neste instante na cama, a palavra *voltar* faz-me constatar, com aflição, que, ao fazer a minha ronda de segurança, eu não estava concentrado naquelas tarefas essenciais (duas vezes os ladrões tinham entrado em minha casa e roubado parte substancial dos meus bens), mas sim pensando distraído, o que não podia me dar a certeza de tê-las efetuado com precisão. De fato, posso agora recapitular, ao fechar a porta e exclamar em voz alta "alea jacta est", eu estava pensando no mico que falava com Vespasiano, pai de Ulpiniano-o-Meigo e Justin, seu irmão e mágico de profissão, de quem eu era auxiliar. Apesar de algumas pessoas dizerem que eu era assistente de mágico por diletantismo, na realidade o que me interessava era o dinheiro que ganhava em cada exibição, e que ajudava a pagar meus estudos, pois a função não me agradava tanto assim, principalmente pelo fato de Justin exigir que eu trabalhasse de gravata borboleta. Nosso espetáculo era realizado em circos e clubes. Os circos funcionavam quase sempre nos subúrbios e aos sábados e domingos havia, além da apresentação noturna (21 horas), uma matinê (16 horas). Com isso eu passava praticamente o sábado e domingo no subúrbio, pois não adiantava voltar para casa. Isso não me incomodava pois eu namorava (mas ela não sabia) Aspásia, a garota peruana, ou equatoriana, talvez boliviana, da corda-bamba. Ela subia no fio, com uma saia curta de cetim vermelho e uma sombrinha colorida, e como era linda, o rosto tenso, corpo feito de equilíbrio e poder, deslizando leve e ágil sobre o fio de aço. Mas ela não queria nada comigo pois eu tinha apenas quinze anos e não era coisa nenhuma.

É preciso ordenar os acontecimentos. Estamos no ginásio e eu sou um estudante e auxiliar de mágico. É segunda-feira; estou triste pois no domingo cheguei para Aspásia e recitei para ela, em espanhol, "La casada infiel"; depois de ouvir sorridente o que deveria (achava eu) comovê-la até as lágrimas, ela encerrou o assunto dizendo que o meu espanhol era nojento. Não nesses termos, mas o sentido era esse. Eu tinha que ir para o colégio quando o que queria era estar na ilha de Cayo Icacos que descobri no atlas e que devia ter coqueiros, mar azul e vento fresco, ao meu lado Aspásia.

A primeira aula era do Cambaxirra, assim apelidado por ser ele mirrado e seus braços parecerem asas de um passarinho feio. Tínhamos-lhe desprezo e talvez ódio: os jovens não perdoam os fracos. Na última fila Mangonga lia um livro de sacanagem da coleção verde, *As hetairas de luxo*. Ulpiniano-o-Meigo parecia prestar atenção à aula, mas eu sabia que isso era impossível; Félix tomava notas; Najuba tomava notas; Roberto fabulava, o olho virado. Já havia passado a fase em que gostávamos (nós, os líderes da classe) de ridicularizar o Cambaxirra, que, por ser surdo, permitia que isso fosse feito sem grande risco. Nesse dia, depois da aula, Roberto me chamou e disse — "olha, vou contar uma coisa para você que não tenho coragem de contar para ninguém, nem minha mãe, nem meu pai, nem meus irmãos" — o que não era vantagem nenhuma, pois o Roberto era um sujeito que vivia isolado dentro de casa, lendo solitariamente tratados de parapsicologia, sem possibilidade de comunicação com os pais que o haviam tido já em idade avançada. A diferença de idade entre ele e os seus irmãos era de, no mínimo, vinte anos. Sua cara era assim: pálido, de olheiras (passava as noites lendo, escondido da mãe) e tinha um nariz muito comprido, mesmo para um homem feito. Não era, pois, vantagem, ele contar para mim aquilo que não-tinha-nem-mesmo-contado-para-a-mãe-etc. Me puxou para o lado e só falou quando, apesar de isolados no canto do corredor, teve certeza de que ninguém nos ouvia.

"Eu hoje voei", disse ele. Seus olhos brilhavam.

"É mesmo?", disse eu. Não sabia se acreditava ou não. Não nele, no voo. Ele não mentia nunca.

"Voei. Juro. Você me acredita, não?", disse ele me olhando ansioso. "Saí vinte centímetros do chão."

Fomos para o botequim da rua Vieira Fazenda. Pedimos café com leite no copo e um sanduíche de mortadela, um luxo. Aí ele me contou em detalhes como tinha sido a coisa, mais ou menos assim: foi logo depois que ele acabara de ler o livro de sir W. Crooks, *Researches in the phenomena of spiritualism*. Quando Crooks escreveu o livro, em

1920, ninguém acreditava nessas coisas a não ser os crentes. (E assim mesmo santa Tereza e são João da Cruz, que foram vistos suspensos no ar, são conhecidos por outros talentos que não esses. São José de Copertino, apesar de ter voado mais de cem vezes, não conseguiu, por ser um santo meio burro, que não sabia fazer outra coisa, maior prestígio dentro da história religiosa.) Fora do campo religioso os fenômenos de parapsicologia, como telepatia, clairvoyance e outras formas de percepção extrassensorial, não eram muito acreditados. Roberto começara com experiências referentes a PES (percepção extrassensorial) lendo Murchison, Rhine, Sval, Goldney, Bateman e Zorab. E depois Richet, Osty, Saltmarsh, Johnson e Pratt. E ainda Schmeidler, McConnell, Myers e Podmore. E finalmente Schrenk-Notzing, Playne e L. S. Bendit. Não havia ninguém que tivesse lido mais coisa sobre parapsicologia do que ele. Correspondia-se com a Psychical Society of England. Escrevia para S. P. Bogvouvala, na Índia, e juntos faziam misérias (um lia o pensamento do outro a distância). Mas ser médium, hipnotizador e telepata eram coisas menores para ele. O seu interesse era mesmo a levitação. "É tudo uma questão de controle das energias do corpo", disse ele. Não era um místico, condição que talvez facilitasse as coisas. (Ver H. H. C. Thruston, *The physical phenomena of mysticism.)* Mas tinha uma grande força de vontade. Um dia, aquele dia, ele começou a se concentrar de manhã; sua família estava fora, era um fim de semana, ele ficara em casa para estudar para as provas. Não almoçou, não comeu nada naquele dia, nem jantou. Sentia uma enorme força dentro dele, se agrupando, ganhando poder e momentum. Veio a noite. Quando o dia começou a raiar ele verificou que seu corpo começava a se desprender do chão; ficou no ar durante algum tempo, até que sentiu que as forças lhe faltavam e ele desceu novamente.

2 — Roberto voará ainda hoje? Essa é uma coisa que preciso esclarecer. Mas não somente isso. E a ressurreição de Ulpiniano-o-Meigo? E o mico que falava?

Evidentemente eu não acreditava, na ocasião, no mico que falava. Vespasiano, pai de Ulpiniano-o-Meigo e de Justin, cuja profissão era a mágica, alegava conversar inteligivelmente com o mico. Os dois realmente ficavam conversando o tempo todo, nas horas em que Vespasiano não estava na rua entrando de graça nos cinemas. Vespasiano não deixava de ver o lançamento de um novo filme, mas sempre como penetra; para ele era uma questão de honra, e de etiqueta, entrar no cinema sem pagar. Isso era relativamente fácil para ele. Tratava-se de um homem enorme que se vestia com uma distinção ostensiva e irresistível: polainas, roupa escura, colete, flor na lapela, bengala e chapéu homburg. Apesar de parecer estranha, a vestimenta servia ao seu propósito, que era entrar no cinema de graça. Sua técnica era simples. Ele ia entrando, solene; sem parar na porta, dava um bom-dia profundo ao porteiro e seguia direto para a sala de projeção. Em 99% dos casos o porteiro não tinha coragem de pedir a entrada. Era impossível resistir à presença arrasadora de Vespasiano. Às vezes um porteiro distraído (um maluco) lhe pedia a entrada. Vespasiano fulminava-o com a frase "Que é isto? Não me conhece?", e aí, mesmo o mais duro dos porteiros cedia docilmente.

Mas seu passatempo predileto era conversar com o mico. Era comum ver Vespasiano dialogando com o mico. Um dia fui visitar Ulpiniano-o-Meigo e nem ele nem Vespasiano estavam em casa. Justin praticava legere-de-main fazendo correr uma moeda sobre as costas da mão: dedo-comisura-dedo, indo e voltando; depois ele pegava uma bola de pingue-pongue, depois um baralho. Era assim que ele descansava, treinando os dedos, fazendo a mão ser mais rápida do que o olho. Eu fui direto à sala onde estava o mico. Estávamos vis-à-vis, sós. Dei-lhe um bofetão que o fez cair da mesa onde estava. Deixei-o estendido no chão e fui apreciar Justin e os seus truques de mão, enquanto aguardava a chegada de Vespasiano, quando então poríamos a limpo aquela história de mico falante.

Vespasiano chegou portentoso, enchendo a casa de energia. Imediatamente o mico, até então silencioso, começou a guinchar. Vespasiano correu para ele:

"Sim, sim?"

"Quim-quim, quim-quim-qui"

"É mesmo?"

"Quim-qui-qui-qui"

"Lôbrego! Infame! Torpe!"

Vespasiano tinha a mania de falar por meio de adjetivos. Havia lido Rui Barbosa e nunca mais se recuperara.

"Ah!"

Esse *ah* soou como o rugido de um leão e ele virou-se, caminhou em minha direção. Esperei-o, paralisado pelo medo, pela revelação: ele realmente falava com o mico! Controlando-se, ele me perguntou:

"Por que você cometeu esta selvageria com ele? Ele que nunca fez mal a ninguém, o mais nobre e valoroso dos animais, entre homens e bichos, que eu conheci? Um bofetão na cara, inopinado, injusto, cruel, mesquinho e impertinente. Explique-se."

Pedi desculpas ao mico.

Foi mais ou menos nessa época que Ulpiniano-o-Meigo foi expulso do colégio. Ele já tinha sido suspenso quando, numa prova de higiene, ao invés de responder às questões formuladas, escreveu na prova alguns slogans como "beba mais leite", "durma com as janelas abertas" (acrescentando "assinado: o ladrão"), juntamente com o ensaio "A menopausa dos galináceos". Ao ser interpelado pelo diretor, Ulpiniano-o-Meigo retrucou que o ensaio apesar de impertinente era uma contribuição científica à avicultura e pediu ao diretor que ouvisse a opinião do dr. Karl Bisch, o maior especialista na matéria, que certamente certificaria a importância do seu trabalho.

Não pediram a opinião do dr. Karl Bisch e Ulpiniano-o-Meigo foi suspenso. De qualquer forma seria muito difícil ouvir a opinião do dr. Karl Bisch pelo simples motivo de que ele não existia. Tratava-se de um dos personagens que Ulpiniano-o-Meigo, Roberto, Mangonga e Eu inventávamos para gozar os nossos mestres. Sempre que possível nós citávamos, nas provas, autores que não existiam, confiados na ignorância tradicional dos professores. É claro que às vezes nós nos arriscávamos, como no dia em que, na prova de literatura, eu citei Sparafucile como "o conhecido crítico italiano de literatura Veda", ou quando Mangonga citou o próprio pai, que se chamava Epifânio Catolé, como um "eminente historiador baiano". O caso de Mangonga era um pouco diferente do nosso, pois ele acreditava nas mentiras que dizia e assim, depois da prova, começou a repetir que o pai dele por ser avesso à publicidade não tinha o reconhecimento que merecia.

Mangonga dizia que morava em Copacabana. Naquele tempo Copacabana não era ainda a favela de maior densidade demográfica do mundo; era um lugar onde as pessoas elegantes e ricas moravam. Todo dia Mangonga e Najuba, depois do colégio, iam juntos para Copacabana, e Najuba, que morava na Miguel Lemos, saltava antes de Mangonga, que morava na av. Atlântica, no posto 6. Mangonga fez isso durante quatro anos, até que um dia o pai dele morreu e nós fomos à casa dele velar o corpo. A casa de Mangonga ficava na rua da Cancela, em São Cristóvão, num sobrado velho, com uma escada rangente e carcomida, de corrimão quebrado, sem praia e sem mar, sem garotas de maiô. Era uma tarde de sol desgraçado, e fazia um calor tão forte e opressivo que até o cadáver do pai de Mangonga suava.

É claro que depois disso Mangonga não voltou mais para casa com Najuba. A morte do pai fez com que ele se interessasse ainda mais por questões de demonologia. Roberto dizia de Mangonga que ele era "o único mitomaníaco que tinha pacto com o diabo". Mas sua preocupação principal era com lâmias e súcubos, demônios femininos que se aproveitam do sono das pessoas para cometer toda sorte de malefícios.

Voltando à expulsão de Ulpiniano-o-Meigo. Um dia, ao chegar ao colégio, vi uma porção de estudantes aglomerados frente ao quadro de avisos. Devia ser uma notícia muito importante, pensei. E era. Num cartaz grande, pintado em letras vermelhas e azuis estava escrito:

PADRE JÚLIO MARIA & CIA. COMUNICAM À DISTINTA CLIENTELA A SUA NOVA TABELA DE PREÇOS

1 — *Comunhões*

Hóstia simples	1,00
Hóstia de massa de *palmiere*	3,00
Hóstia recheada de camarão	8,00
Hóstia folheada a ouro c/efígie do papa (não é para ser engolida)	500,00

2 — *Batizados*

C/ água simples	10,00
C/ água Caxambu salgada	30,00
C/ água de Vichy genuína e cloreto de sódio importado	80,00

3 — *Casamentos*

Simples	30,00
C/ flores de ocasião e algumas velas	100,00
C/ um pouco mais de flores, luzes, órgão e cantora amadora	400,00
C/ rosas, órgão, tapete, padre de roupa nova, luzes e cantora profissional	1.000,00
C/ tulipas holandesas, luzes profusas, tapete vermelho, bispo de roupa nova, fotógrafo-colunista, órgão e coro celestial profissional (com músicas gravadas)	40.000,00

4 — *Extremas-unções*

Almas sem pecado, encomendadas de dia	10,00
Almas sem pecado, encomendadas à noite, até às 22h	20,00
Almas idem, encomendadas depois das 22hs	80,00
Almas pecadoras veniais (dia ou noite)	100,00
Almas pecadoras mortais (dia e noite)	1.000,00

5 — *Bênçãos*

Bênção de santinho de madeira ou alumínio	6,00
Bênção de santo de prata, ouro ou pedra preciosa	40,00
Bênção de residência até dois quartos, sala, banheiro, cozinha e dependências de empregada	95,00
Bênção de residência com piscina ou salão de snooker	600,00

Os nossos preços são os menores da praça. SEM COMPETIDORES. Fornecemos padres para dar um toque piedoso às suas festas. Santos, bulas papais, imagens, oratórios, livros religiosos, lascas originais de Madeiro, TUDO, TUDO pelo menor preço. Procure.

JÚLIO MARIA & CIA.

Era isso que estava escrito. O diretor achou que ele estava maluco e Ulpiniano-o-Meigo foi expulso do colégio, voltou para casa e morreu para ressuscitar, como disse ele, no fim do sétimo dia, "tal e qual Jesus Cristo". Ele sempre gostara de Jesus Cristo. Dizia, citando Pessoa, "melhor era Jesus Cristo, que não entendia de finanças e nem consta que tivesse biblioteca".

Eu estava lá na casa dele quando ele morreu. Estávamos na sala e ele disse:

"Vou morrer, tal e qual Jesus Cristo."

Deitou no chão e, hum, morreu. Ficou duro e foi expirando. Eu e Najuba não acreditamos logo e por isso, já que era uma brincadeira, começamos a brincar. Primeiro escrevemos na testa dele "Jesus Cristo" e colocamos, ou melhor, Najuba colocou, pois quem lia Pitigrilli era ele, um cartaz no peito de Ulpiniano-o-Meigo, com letras garrafais *YNRJ* e entre parênteses em letras menores: "yo no regulo jamais". Depois usando vários carimbos que encontramos na casa, carimbamos nos seus braços e face: "Aprovado", "Arquivado", "Pessoal", "Confidencial", "Intransferível".

Logo depois que Ulpiniano-o-Meigo desapareceu o colégio começou a ficar chato. Roberto não voou mais. Todos os nossos planos falharam. O dia em que Mangonga programou a nossa ida à zona foi um completo fracasso. Najuba, já no Mangue, desistiu. "Você entra no botequim antes e tira o peso", disse Mangonga. "Não é por isso não, eu não estou com o peso hoje, é que eu tenho uma coisa importante para fazer", respondeu Najuba. Eu disse: "O motivo pode não ser o peso, mas que você está com o peso, está, você sem o peso é a mesma coisa que o Félix sem o prendedor" — coisa que o Félix não gostou de ouvir pois foi logo dizendo que ele também não ia pois tinha uma coisa importante para fazer. "Tá certo, eu estou com o peso", disse Najuba. "Então você tira, vai no mictório do boteco e tira." "Mas não é isso", disse Najuba, "eu não quero ir." Mangonga disse: "Você está com medo, seu cagão. O que adiantou você amarrar esses anos todos um barbante com um peso de chumbo no birro, hein? Não cresceu, não foi? Eu não disse que não crescia?" "Cresceu sim", disse Najuba. Mangonga: "Quanto? Quanto? Meio centímetro? Um centímetro? Cresceu uma ova!"

Ficamos eu e Mangonga sozinhos. Aos poucos nós também íamos medrando. "E se pegarmos uma doença?", perguntei. Pensava em Aspásia, eu queria fazer aquela coisa com Aspásia. "Doença? que doença?", perguntou Mangonga. "Gonorreia, cavalo, mula, sei lá." Tremíamos só de pensar nas histórias dos sujeitos engalicados com gonorreia de gancho. Acabamos no cinema Primor, chupando busi e vendo filme em série. Na saída comprei na loja de ferragens um enorme prendedor de roupa para dar de presente ao Félix. Félix dormia todas as noites com um prendedor de roupa no nariz para afilá-lo. Agradeceu-me com lágrimas nos olhos, ao ver a mola forte e a largura da madeira do prendedor. "Vocês trataram o Najuba muito mal", disse ele. Era o único que entendia o Najuba. "Você não acha que o meu nariz está mais fino?", perguntou-me.

SEGUNDO TEMPO

3 — Eu ainda estou na cama e isto tudo foi a memória funcionando. Ou será que não foi? Eu sou hoje um homem tão cheio de dúvidas. Não sei mesmo se fechei as portas e com isso não consigo dormir, chego até a sentir um peso

no meu coração. Eu preciso dormir. Vejamos: na porta da varanda, ao checar o trinco eu fiz ploc-ploc com a língua contra os lábios. Na porta da frente, espiei o número nove na lingueta da fechadura e encostei a ponta do nariz na maçaneta. Estava fria. Na porta dos fundos, ao chegar, eu disse *Hattie, Henry and the honorable Harold hold hands together in Hampstead Heath*, treinando, enquanto aplicava o ardil mnemônico o *H* aspirado do meu inglês. Mas mesmo assim, eu estou na dúvida. Isso porque nem um instante eu deixei de pensar se aquelas coisas eram verdadeiras. Coisas tão bestas, mas não sei se eram verdadeiras. Seriam sonhos? Mas quem sonha dorme. O sujeito sonha para poder dormir. Não há sono sem sonho. Quem me dera poder dormir. Estarei ficando — não, não. O que sempre quis saber é se as pessoas, e os fatos, são verdadeiros. Não me importa saber se as pessoas existem ou existiram, se os fatos existem ou existiram, mas se eles são ou não verdadeiros. Foi por isso que muitos anos depois eu quis saber a Verdade. Verifico satisfeito que apesar de aflito, nem por um momento perco minha lucidez; a busca que efetuei foi cansativa, e, talvez, inútil, mas mesmo assim, não me entrego ao desespero e consigo até ser um tanto ou quanto faceto.

A busca. Antes, porém, estarão as portas fechadas? Não tenho medo que o ladrão me pegue acordado: aí eu terei todas as vantagens. Mas dormindo? Ah — bobagem, as dúvidas não me deixarão dormir, um homem com dúvidas não dorme nunca.

Quanto tempo depois eu comecei a minha busca? Creio que foi vinte anos depois, deixa contar, isso mesmo, vinte anos depois, como no romance de Dumas. Como?, já começo a ficar confuso, não é bem confuso, é aquela coisa que acontece. Merda, não sei mais nada, gostaria neste instante de estar no mar, num barco com uma enorme vela branca, bem longe.

Fiquei vinte anos sem ver aqueles caras. A ideia de que precisava revê-los não me saía da mente. Por quê? A razão disso, eu não sabia ao certo. Era uma espécie de obsessão que não me largava dia e noite, e, no entanto, demorei muitos anos a iniciar tudo com um simples telefonema para o Roberto, depois de consultar a lista telefônica.

"Quem?", disse ele do outro lado da linha.

Repeti meu nome. "Do Ginásio, não se lembra?" Mais uma vez disse meu nome.

"Ah! sim. Sim. Há quantos anos... Como está?"

"Bem. Gostaria de vê-lo."

"Pois não, um dia desses."

"Amanhã? Que tal almoçarmos?"

"Amanhã não posso. Creio que não posso. Talvez tenha que ir a São Paulo. Uns dois ou três dias."

"Que tal sexta-feira?"

"Sexta-feira? Não sei. Aqui de casa é difícil responder. Você poderia ligar para o meu escritório e marcar uma hora com minha secretária? Ela é que sabe das minhas disponibilidades de tempo. Está bem assim?"

Encontramo-nos quinze dias depois. Ele se tornara um homem muito ocupado. "Arranjei meia hora para o senhor", dissera a secretária, com um jeito de quem me fizera um grande favor.

Roberto não tinha mais olheiras. O nariz ainda era muito comprido; ele havia engordado; tinha muitos cabelos grisalhos. Seu rosto estava marcado de rugas e seu aspecto geral era de um homem submetido a um processo contínuo de estafa.

ROBERTO: Há alguma coisa que eu possa fazer por você?

EU: Como? Não. Eu vim bater um papo. Saudades dos velhos tempos.

ROBERTO: *(Olhando para o relógio)* — Hum! Sei. Sei.

EU: Você ainda se lembra dos velhos tempos?

ROBERTO: Eu sou um homem consumido pelo presente. Sou um executivo, tenho que tomar decisões. Não posso pensar no passado; mal me sobra tempo de pensar no futuro.

(Entra a secretária)

SECRETÁRIA: Dr. Roberto, telefonema de São Paulo.

ROBERTO: Com licença. *(Pega o telefone)* Alô? Sim. Sim. Não. Sim. Sim. Não. Não, absolutamente. Sim. Sim. Não, de forma alguma. *(Desliga)* Imbecis.

EU: Você se lembra de Ulpiniano-o-Meigo?

ROBERTO: Ulpiniano?

EU: Sim, aquele cara que jogava futebol com a gente, de paletó e gravata. Lembra?

ROBERTO: Eu não jogava futebol.

EU: Você não jogava futebol? Como assim? Então você não entrava naqueles rachas com a gente?

ROBERTO: Não. Eu nunca pratiquei esporte. Você deve estar me confundindo com alguém.

EU: Puxa, é mesmo. Agora me lembro. Você não gostava de esporte, você gostava de ler, você não fazia outra coisa senão ler.

(Entra a secretária)

SECRETÁRIA: A relação das pessoas que comparecerão à reunião das 11h45. *(Põe um papel em cima da mesa de Roberto)*

EU: É isso mesmo, você não gostava de futebol.

ROBERTO: *(Lendo o papel)* Exato.

EU: É isso mesmo. Ulpiniano-o-Meigo também não gostava, ele só jogava para completar o número necessário de jogadores. Ele não gostava de desmanchar o prazer de ninguém. "Tratar todos com ternura e compreensão", esse era o seu lema, por isso é que escolhera o sobrenome de Meigo. Ele *era* meigo. Você se lembra dele?

ROBERTO: *(Consultando* o *relógio)* Lembro-me que ele ia pouco ao barbeiro.

EU: Você se lembra do dia em que ele morreu?

ROBERTO: Morreu?

EU: Logo depois daquela história do padre Júlio Maria & Cia.

ROBERTO: Padre Júlio Maria & Cia?

EU: E o teu voo?

ROBERTO: Meu voo?

EU: Sim, teu voo. Você voou. Vinte centímetros do chão.

(Entra a secretária)

SECRETÁRIA: Já estão todos na sala de reunião.

Roberto não responde. A secretária nota que ele não ouviu e repete inquieta: "Já estão todos na sala de reunião." Roberto se levanta. Me cumprimenta sem dizer uma palavra e sai da sala.

4 — Por que será que eu nunca me casei? Casar é um ato de normalidade, todo mundo casa, com exceção, é claro, dos homossexuais, das mulheres que não encontram marido, dos comodistas, dos rebeldes. No entanto eu não sou nada disso e não me casei. Talvez porque nunca tivesse encontrado uma mulher de quem eu gostasse, ou melhor, uma mulher de quem eu gostasse e que gostasse de mim. Gostar eu só gostei de Aspásia, comecei a gostar dela aos quinze anos, no tempo em que ajudava Justin, o Mágico. Depois que deixei de trabalhar no circo só vi Aspásia uma vez mais, cinco anos depois. Esses cinco anos passei sem entregar a minha força, como disse ou teria dito Alain, a mulher nenhuma. Deixei de trabalhar como auxiliar de mágico e resolvi mudar de vida depois que Aspásia repeliu a primeira proposta que lhe fiz. Falou: cresce e aparece; me humilhou, riu de mim — tinha um dente de ouro na boca, naquele dia descobri. Corpo igual

ao dela nunca vi, em circo, na praia, no Baile do Municipal, no cinema, em revista de fotografia. Todo ele era da mesma cor. Debaixo do braço, no pescoço, na barriga, no joelho, tudo da mesma cor, de telha velha. A carne era agarrada no osso, feita de músculos que não apareciam; a nádega e a parte da coxa abaixo da nádega eram firmes; é aí que tem que ser visto o corpo da mulher, nenhum outro lugar pode indicar melhor a resistência e o futuro da carne, como é ou será, a sua forma e o seu tecido, na mulher adulta.

5 — Félix me recebeu com um copo na mão, de braços abertos, sorridente, patrocinador. Principalmente sorridente. "Aceita um uísque", perguntou, "do legítimo? Que tal aquele Gobelin?" Era um homem feliz, desses satisfeitos consigo mesmo e que não se pejam em demonstrar agressivamente sua felicidade, mesmo para os homens aflitos.

Fez questão de chamar a mulher. Enquanto isso, vi a sala: estantes nas paredes, livros encadernados, coleções coloridas simetricamente dispostas, obras completas.

A mulher era de um louro pálido e tinha uma espinha na testa, disfarçada por cosméticos. Os filhos também eram louros, mas de um louro mais escuro, suspeito.

Mostraram-se e desapareceram.

"Aquele espelho tem mais de duzentos anos."

"Parece um Jean Baptiste Poquelin original. É?"

"Não sei. Acho que sim. Me lembro agora que meu sogro disse que era."

Mas isso não me deu nenhuma alegria. Uma coisa daquelas era para ser dita para Ulpiniano-o-Meigo, e quer ele caísse ou não eu me divertiria do mesmo jeito. Também não me deu pena.

Félix me contou que tinha uma vida cheia: os professores fulano e beltrano lhe davam aulas particulares de economia, sociologia, história da arte e da filosofia.

"Um homem da minha posição tem que se refinar continuamente, aguçar a inteligência, acompanhar os tempos."

O cretino. Um sorriso enorme na cara. Estava gordo e suava.

"E você, como é que vai?", perguntou olhando-me de alto a baixo. Depois: "Vou lhe dar um conselho — o colarinho de sua camisa é muito aberto, isso não se usa mais. O colarinho fica diretamente no campo de observação do seu interlocutor; depois dos seus dentes é a primeira coisa que ele vê. Tem que ser uma peça irrepreensível."

"E o nariz?"

"O nariz?"

"O nariz. O interlocutor vê o nariz do outro, tanto quanto os dentes ou o colarinho?"

Ele pensou um pouco.

"Menos."

"Por falar em nariz: você ainda usa o prendedor de roupa?"

"Que prendedor de roupa?"

"O prendedor de roupa que você colocava no nariz toda noite quando ia dormir. Eu nunca te perguntei, mas acho que você o usava para afinar o nariz. Era para afinar o nariz ou era alguma forma de superstição?"

"Não sei sobre o que você está falando."

"Ora Félix, eu mesmo uma vez te dei um prendedor tão largo e forte que você chorou emocionado. Foi um dia em que nós tínhamos ido na zona com o Mangonga e o Najuba."

"Você está maluco. Pra que que eu ia usar um prendedor de roupa no nariz?" Ensaiou uma gargalhada.

"Para afinar."

Aí a conversa parou. Ele estava aborrecido. Eu não queria brigar com ele. Havia muita coisa que eu queria saber.

"Você está aborrecido, Félix?" Aquilo era uma abertura para eu pedir desculpas. Mas ele não entendeu.

"Não há nada que me irrite tanto quanto a grosseria das pessoas."

"Realmente."

"Com certas pessoas não se pode, nem se deve ter maior intimidade."

"Como assim?"

"Os homens educados devem ter amigos educados."

"Realmente."

Mas a raiva dele não passava.

"Meu pai sempre dizia: não se deve convidar qualquer um para dentro de casa."

O cretino. Seus beiços estavam mais grossos, todo ele mais mulato, o cabelo ondeadinho, as narinas como duas avelãs flácidas, as gengivas roxas.

Tentei, comecei — "você se lembra aquele dia".

"Eu não me lembro de nada. Acho melhor você se retirar."

"Como? Você está me mandando embora?"

Ele levantou-se.

"Seu imbecil", disse eu, "só porque você deu um golpe do baú com êxito, casou com uma loura, herdou Gobelin do sogro, assiste aula de história da filosofia, dada por um professor de titica qualquer, só por isso, seu cretino, você tá pensando que é alguma coisa. Bestalhão. Não sei onde estou que não te parto a cara."

"Você está na minha casa", gaguejou ele, fingindo firmeza.

Fui saindo. Percebi que no hall um garoto parado olhava assustado para nós dois. Na hora não dei bola e bati a porta da rua com força. Mas em casa fiquei pensando naquele menino, testemunhando a humilhação sofrida pelo pai.

6 — Eu disse que só gostei de Aspásia, mas isso não é verdade; quando penso em Aspásia eu penso que só gostei dela, mas quando penso na outra sei que isso não é verdade. Houve outra moça: me apaixonei por ela antes mesmo de ver o branco de seus olhos. Eu ficava de longe, olhando para ela, enquanto de sua janela ela olhava qualquer coisa que devia ser o mar. De onde estava eu via a varanda, a sala de jantar e

o quarto de dormir. Duas vezes por semana ele vinha vê-la. Nesses dias ela se pintava um pouco, sentava na sala e ficava esperando; depois, quando menos se esperava surgia, às vezes logo ao cair da noite, outras vezes muito tarde, quando eu já estava cansado de esperar; ele enfiava a chave na porta, entrava na sala, não a beijava nem a cumprimentava, tirava o paletó, colocava-o nas costas da cadeira e ia para o quarto.

No dia seguinte ela custava muito a aparecer na varanda; quando ela surgia eu me concentrava e dizia baixinho, olha para cá, meu amor, olha para cá, fixando-a sem piscar, até que meus olhos ardiam. Ela nunca me via, nem olhava para o meu lado. Comprei um papagaio; levava-o para a varanda, para ver se ela olhava para mim; mas o papagaio não dizia uma palavra e ela continuava olhando para o mar. Comprei uma corneta; quando ela surgiu eu soprei a corneta com toda força; não saiu o menor som; soprei, até que fiquei tonto. Estava sem força; há dois dias que não comia: tomei duas gemadas, comi uma bisnaga de pão com manteiga, uma lata de salsichas, seis bananas-d'água e voltei para a varanda com a corneta e soprei; soprei sem conseguir som algum, até que fiquei enjoado e vomitei tudo. Deitado na cama, ainda com o gosto ácido de vômito na boca, pensei: ela deve ser cega, por isso é que não me vê; a única coisa que eu tenho de fazer é ir lá falar com ela. Saí correndo de casa e subi, sem a menor indecisão, no edifício dela. Toquei a campainha. Ela abriu a porta. Eu fui logo dizendo, ofegante, pois tinha subido pelas escadas, "eu sei que você é cega, sempre te vejo ali do edifício da Buarque de Macedo, eu queria te dizer que sou teu amigo" — quando então ela me cortou: "não sou cega coisa nenhuma, onde é que você foi arranjar essa ideia mais idiota, você está maluco? Eu não o conheço, nunca o vi mais gordo." Eu pensei que ia morrer; me segurei na parede para não cair, e fechei os olhos. "Como é o seu nome?", perguntou ela. Eu disse. "Vamos", continuou ela, "conta essa história direitinho." Ali, em pé no corredor, eu contei tudo para ela: "eu sempre te vejo na varanda e me apaixonei por você." "Não precisa ficar vermelho", disse ela sorrindo, "o que foi que você fez da corneta?" "Está em casa." "Vem", disse ela, "me mostra a tua casa." E foi entrando, eu a segui, até a varanda, de onde lhe mostrei o meu apartamento. Ficamos na varanda, eu calado, ela rindo baixinho.

Ficávamos namorando de longe, até que um dia ela me chamou. "Olha", disse, "nós vamos fugir, hoje, o mais depressa, agora, vamos embora; eu sei que você não tem dinheiro, mas eu tenho, vamos para um lugar longe do Rio, uma cidade grande onde ninguém ache a gente, nunca mais, mas vamos embora agora, não podemos perder um minuto."

Dentro do escuro, no ônibus interestadual, eu pensava em tudo o que o Terceirodomundo me havia dito, o idiota. Depois de nem sei quantos dias, eu saíra de casa e tinha ido à academia. O Terceirodomundo estava lá. Já não fazia mais ginástica, só contava basófia do tempo em que disputava campeonato, e quando me viu foi logo dizendo:

você está magro, amarelo, menino, você precisa castigar o corpo, malhar, malhar; ora, eu estou ficando velho, dizem que estou acabado, mas eu sei coisas, você está sofrendo, você está gamado por uma mulher, toma cuidado que isso pode te destruir como destruiu meu irmão, que era florista e que um dia, quando tinha a tua idade, deu um tiro no peito no portão da casa da tal dona que era casada e morava em Petrópolis. Cala a boca, não negue, eu leio na sua cara, igual à do meu irmão, você pensa que eu cheguei a campeão assim sem mais nem menos? Estudei ioga, sou espiritualista e também socialista (mas isso em questões de política). Eu leio na cara dos outros! Você está gamado, mas guarda o que eu te digo, vagabunda nenhuma vale uma insônia, uma humilhação, um tiro no peito; na vida o homem só precisa de uma coisa, proteína, proteína! Tudo isso ele ia me dizendo, o Terceirodomundo, enquanto arregalava os olhos, trincava os dentes, dava socos nas mãos e palmadas na enorme barriga. Como é o nome dela, perguntou ele. Eu: Francisca. Ele: f, um, r, dois, a, três, n, quatro, c, cinco, i, seis, s, sete, c, oito, a, nove — nove letras! Fuja dessa mulher, é desgraça na certa.

De cima da janela saía um fino raio de luz que iluminava as mãos de Francisca, a aliança, seu rosto, enquanto o ônibus corria pela estrada escura. Era a mulher mais bonita que eu já vira em toda a minha vida. Chegamos ao hotel. No quarto, ela sentou na cama e disse, "você não está feliz?"; eu disse que queria ficar a vida toda trancado dentro daquele quarto com ela; "vamos ficar aqui dentro quanto tempo você quiser", respondeu ela; fomos para a cama, muito compenetrados.

Durante uma semana ficamos dentro do quarto e as únicas pessoas que víamos eram o garçom que trazia a comida e a arrumadeira; tomávamos banho juntos, eu dizia nomes bonitos para ela, nomes novos que eu inventava, e nomes feios, palavrões; rolávamos na cama, e nos mordíamos. Rolávamos no chão. Um dia ela arrumou a maleta e foi embora sem que um de nós dissesse uma palavra.

7 — Sou um homem feito de fracassos.

A minha busca continuou com Mangonga. Esse sim, ficou alegre ao rever-me. "Meu caro", disse ele, "eu agora tenho um encontro, mas nós temos muito que conversar. Você vai passar hoje à noite lá em casa. Nove horas, não se esqueça", e me deu um endereço.

Às nove horas lá estava eu. Mangonga, de cuecas abriu-me a porta. Era uma festa. "Esse calor ninguém aguenta", disse ele. Os outros, seis mulheres e cinco homens, pareciam também sofrer os efeitos do calor, pois estavam todos em trajes menores. Uma mulher dançava um ponto de macumba ao som da vitrola. Minha aparição foi saudada com alegria geral e logo uma dona agarrou meu braço e disse "Meu nome é Izete, eu sou a sua parceira. Sou filha de japonês e amazonense e tenho alma de gueixa".

"Mangonga", disse eu, "preciso falar com você".

Ele botou um copo na minha mão. "Vamos falar muito, garotão; agora não, que estou ocupado, vê?", e começou a beijar uma fulana de calça e sutiã pretos e brincos tão longos que roçavam seus ombros.

A gueixa começou a tirar a minha roupa. "Mangonga!", gritei, mas ele tinha desaparecido. Com exceção da gueixa ninguém me dava atenção. Havia gente rindo; a vitrola tocava altíssimo.

Pouco depois eu já havia bebido três copos da porcaria que a gueixa me dava e estava sem camisa e sem sapatos.

"Que que há com você", perguntou a gueixa.

"Eu preciso falar com o Mangonga."

"Você vai ter muito tempo de falar com ele. Agora vê se se anima. O que que há? Você não tem pinta de bicha, por acaso você é broxa?"

Eu expliquei para ela que não, que eu precisava falar com o Mangonga, que eu, além do mais, não estava acostumado a fazer aquelas coisas em conjunto.

"Não vai me dizer que você nunca fez suruba?"

"Não. Nunca. Essa porção de gente junta, isso me dá um certo — "

"Nós podemos ficar sozinhos num dos quartos. Aqui é cheio de quartos."

"Mas eu preciso falar com o Mangonga."

"Você fala depois. Será o Benedito!"

"Me desculpa."

"Não é desculpa que eu quero. Ora, bem, você fala com o Mangonga depois. Por falar nisso: quem é Mangonga?"

Antes que eu respondesse um sujeito se aproximou e perguntou: "Que tal, se divertindo?" Com um copo na mão ele dançava ao som da vitrola. "Mais ou menos", respondi. Ele deu um gingado: "Eu hoje danço até o hino nacional. Quer trocar de mulher?" Puxou uma loura que estava próxima. "Uma loura por uma morena. Variar, variar sempre, essa é a minha filosofia de vida." Virei para a gueixa: "Esse cara quer que eu troque você pela loura." "Já? — mas nós ainda não fizemos nada." "Nem vamos fazer." "Cavalheiro", disse a gueixa para o sujeito que dançava o ouviram do ipiranga, "a troca está feita."

"Eu preciso falar com o Mangonga", disse eu para a loura, assim que ficamos sozinhos.

"Quem é o Mangonga? Nunca mais venho numa suruba. Isso é uma coisa horrível."

"Eu também acho."

"Então por que é que você veio?"

"Eu preciso falar com o Mangonga. E você, por que é que você veio?"

"Quem é o Mangonga?"

Mangonga tinha sumido.

"Alô", disse eu para um sujeito de óculos sem aro.

"Alô", respondeu ele, "a minha ressaca já começou, antes do tempo."

"Cadê o Mangonga?", perguntei.

"Que Mangonga?" respondeu ele.

"Mangonga, o dono da casa", expliquei.

"O dono da casa não se chama Mangonga."

"Como que não se chama Mangonga? Ele me convidou, abriu a porta para mim; um sujeito barrigudo."

"Barrigudo? Quase todo mundo aqui é barrigudo; até as mulheres."

"Mangonga, o dono da casa", insisti.

"O dono da casa é aquele cara lá. Ele tem a mania do hino nacional; ele fica excitado ouvindo o hino nacional, não pode ir para a cama com mulher nenhuma sem ouvir o hino nacional. Um sujeito peculiar."

"Ele é o dono da casa?

"Claro."

"E o Mangonga?, o sujeito barrigudo?"

"Eu sou barrigudo."

"Ele é mais."

"Duvido", disse ele, levantando-se; sua barriga era enorme, caía em cima da perna.

"Você tem razão. Você é mais. Onde é que ele está?"

"Quem?"

"O Mangonga."

"Não conheço."

Procurei em todos os quartos. Não havia sinal do Mangonga.

Fui para o sujeito que ouvia o hino nacional. Sacudi-o. "Hei, Hei." Ele abriu os olhos: "O que há? meu chapa."

"Você conhece o Mangonga?", perguntei.

"Que Mangonga?"

"Um cara que estava aqui na festa. Ele me convidou."

"Não sei quem é", disse ele mexendo no nariz.

"Talvez você conheça ele por nome. Você é o dono da casa?"

"Sou."

"Foi o cara que me abriu a porta."

"Não vi."

"Quem foram os caras que você convidou? Vai dizendo que eu mato quem é o Mangonga."

"Eu não convidei ninguém. Foram essas putas que convidaram. É melhor você perguntar a elas."

Falei com cinco mulheres que estavam na sala. Ninguém conhecia o Mangonga. Era como se ele não existisse.

Eu estava meio de porre. Ficar de porre é bom. Dá vontade de fechar os olhos e respirar fundo. Era uma pena que a bagunça fosse tão grande. O dono da casa cantava o hino nacional, enquanto dançava completamente nu. Que calor fazia. O filho da puta do Mangonga havia saído. Fui para o cara que estava com a gueixa e disse: "Eu quero a gueixa de volta, senão acabo com a festa." "Eu devia estar feliz", disse para a gueixa, pois havia bebido o bastante para isso. Mas não estava. O homem é um animal solitário, um animal infeliz, só a morte pode consertar a gente. A morte será o meu sossego. Mangonga, onde é que está o nosso tempo de garoto? era bom, era mágico, voávamos, ressuscitávamos como Jesus Cristo e também não tínhamos biblioteca, nem enciclopédia britânica, a vida sem enredo, sem religião, ai, que vontade de chorar, minha cara minhotona de olhos puxados permita que chore nos teus ombros, pelo amor de Deus, assim pelo amor de Deus, não se choque nem me repila enquanto choro no teu peito, obrigado, que alívio, deixe que eu soluce como uma criança, que paz, minha amiga, que esquecimento, você é boa, eu te amo, que vontade de morrer agora, agora que estou feliz, morrer agora que achei — mas não achei, não achei, de que adianta fingir, eu odeio as pessoas, a dor é feita de pequenos alívios, o homem é podre, Pascal, cloaca do universo, uma quimera, não adianta fingir, amanhã é sempre igual, andamos eretos na rua, a amargura nos devora, os pequenos alívios de que servem? Desgraçados instintos, preparamos cuidadosamente nosso apodrecer, as vísceras estão escondidas e Deus não existe. Que missão (horrível), que condição.

8 — A gueixa tinha um metro e cinquenta e cinco. Sorria como se fosse uma princesa Bali; as sobrancelhas eram dois traços retos que subiam na direção das frontes; os cabelos eram muito finos, como os desses homens que vão ficar carecas cedo. Seu nome era Izete; a música de que gostava mais intitulava-se *La vie en rose*. Seu corpo era bege, de dois tons, mais claro na barriga, nas nádegas e nos peitos. Vestia-se de verde, de preferência. Era extremamente simpática.

Perguntava sempre — "Estou te chateando?" e eu podia ter certeza de que se dissesse sim ela sumiria imediatamente. Por isso eu sempre dizia — "não": algo que você controla não pode te chatear. Sardas no nariz, olhos puxados; fazia tudo, desde que você mandasse, mas não era um robô, era quente, pele macia, uma gargalhada modulada, hábil. Nunca se resfriava, não tinha doenças venéreas, nem gostava de política. Seu lema era servir. Envelheceria tranquilamente, amando os homens e o mundo, rica, sem ter um tostão, linda, sendo feia, pura, sendo uma puta. Nunca gritaria com ninguém, nem daria um tapa numa criança, mesmo que fosse seu filho. Dinheiro era para comprar discos. "E se você não tiver dinheiro para comprar disco?" "Que que tem, comprei meu primeiro disco aos vinte anos, vou ouvir rádio." Quieta como um gato. Às vezes queria falar, mas não precisava nem disso — "cala a boca que eu quero pensar". Era bom pensar com ela ali ao lado, feliz.

9 — Tudo está sendo lembrado exatamente como aconteceu. Roberto inacessível. Mangonga desaparecido (como encontrá-lo novamente por acaso, na rua?). Félix meu inimigo. Só faltavam Najuba e Ulpiniano-o-Meigo. Comecei a ficar com medo de procurá-los. Eu estava de azar, o azar existe, o mau-olhado também. Às vezes é uma coisa que você tem dentro de casa, como o vaso que tinha na casa do meu médico. "O que eu vou te contar", me disse ele um dia, "se você contar para alguém eu desminto, juro que é

mentira, que você é maluco. Foi assim." Tudo acontecia de ruim com ele. Sua casa pegou fogo, a mulher o abandonou, ele pegou um reumatismo que o obrigou a andar de bengala, brigou com o colega de consultório, clientes novos não apareciam. Um dia foi atender a um chamado. Era a mulher que pesava 35 quilos, sofria de uma doença misteriosa, as piores desgraças lhe haviam acontecido: filho morto em desastre, marido dipsomaníaco, o diabo. Dentro da casa dela tinha-se a sensação de que alguma coisa maléfica ia acontecer a qualquer momento. Sinistra. Na sala, em cima de uma mesa de vinhático estava um vaso, com um pássaro em alto-relevo, olhando para o chão. Quando ele viu o bicho sentiu um calafrio, tremeu. Era igualzinho a um que ele tinha. Quando chegou em casa de volta apanhou o vaso e jogou dentro do mar. "No dia seguinte, houve ressaca e morreram afogados vários suburbanos; era domingo de verão." Depois disso sua vida mudou: "é só você olhar minha casa e o meu carro lá fora, para ver."

Passei a procurar dentro da minha casa o meu objeto azarento. Seria um livro, um quadro, um bibelô? Afinal, achei um punhal florentino, antigo, feito para matar, há quantos anos impedido de exercer sua função? Depois que me livrasse dele poderia procurar Ulpiniano-o-Meigo e Najuba. Joguei-o no mar, também. Não houve ressaca, mas vários suburbanos morreram afogados. Li no jornal. Era verão e domingo. Depois disso achei que poderia procurar Ulpiniano-o-Meigo e Najuba. Mas não tive a sorte que esperava. Consegui localizar a casa de Ulpiniano-o-Meigo com certa facilidade, mas ele estava morto.

À minha frente estava sua mulher. Uma fisionomia sem nenhuma característica marcante; já não sei mais, por mais que pense, como era a cara dela. "Quando morreu?", perguntei "Um mês atrás." Tão pouco, podia tê-lo alcançado, por um mês. "Ele está morto mesmo, foi enterrado?", eu não podia acreditar. "Foi. Nenhum amigo foi lá. Eu vi." "E Vespasiano?" "Também morto." Como as pessoas morrem. "E Justin?" O mágico. "Não consegui localizá-lo, chegou depois do enterro." E agora, como ia ser? "Ele nunca lhe falou de mim?" "Nunca." Não era possível. "Não é possível." "Não falou, que eu me lembre." Não era possível. "Ele falou do dia em que morreu e ressuscitou?" "Morreu e ressuscitou?, ele, Ulpiniano?" O Meigo. "Sim, ele." "Nunca. Mas ele morreu e ressuscitou? Como?" Meu Deus. "Não morreu não, foi catalepsia, sabe o que é isso?" "Não." "Ele nunca lhe falou de mim?" "Não." "Nem de Roberto, Najuba, Mangonga?" "Não." Meu Deus, ele não falava nada. "Ele não falava nada?" "Falava, falava, dizia, o comunismo me salvou. Ficava deitado em casa, lia livros que o deixavam inquieto, com ódio das pessoas, do vizinho; quando o vizinho comprou um carro novo ele disse esse sacana deve estar explorando alguém, ninguém enriquece sem roubar os outros, quando alguém ganha dinheiro, outros infelizes estão perdendo; quando eu disse para ele que o vizinho trabalhava igual a um galego, saía de casa às seis da manhã e voltava às oito da noite e por isso é que ele ganhava dinheiro, me xingou e nós brigamos, eu gritei pra ele que ele era um vagabundo, não trabalhava, vivia daquilo que eu ganhava, o dia inteiro com raiva das pessoas, e ele me chamou de fascista, alienada, me bateu, gritou para mim que o comunismo o havia salvo, gritou da janela, para o vizinho ouvir, que o comunismo o havia salvo. Cada dia que passava ele ficava diferente, deixou de pintar, de fazer poesias, de escrever, fazia a barba uma vez por semana, não queria saber de mim como mulher. O senhor não sabe o que eu passei. Mas eu gostava dele, ele tinha cabelos ondeados, depois ficaram brancos, mas eram ondeados e macios." "Ele não pode ter morrido, minha senhora, por favor não chore, eu precisava dele, a senhora não sabe como, agora só me resta Najuba. Não é possível que ele nunca lhe tenha falado nada do tempo do Ginásio, vamos responda!"

10 — Surpresa maior eu não podia ter tido. Foi por isso que encontrar Najuba tinha sido difícil. Ele havia mudado de nome e vivia recluso. Raspara a cabeça.

Subi uma ladeira para chegar onde ele estava. Cheguei lá em cima cansado: já não era mais o que tinha sido, estava sem ar, sentia o coração batendo. Ele me recebeu sem surpresa. Parecia o mesmo garoto de vinte anos antes. (Talvez estivesse mais magro.)

Não falava gesticulando, como antigamente; mantinha as mãos juntas e sua voz era profunda; dava a impressão de um artista de talento muito bem-ensaiado.

"Sinto que você precisa de mim", disse ele. Eu respondi que sim, que precisava dele. "Eu cismei que a juventude é uma ilusão, já pensou que coisa mais sem pé nem cabeça?"

Frei Euzébio (era assim que Najuba se chamava, agora) respondeu: "A única realidade é a nossa imaginação."

"Berkeley. Era bispo."

"Anglicano."

"Deus existe ou está em nossa imaginação?"

"Os homens sem imaginação não alcançam Deus. Deus existe."

"Eu não sei. Agora, aqui neste silêncio, neste mosteiro velho, eu não sei. Mas em outras ocasiões *sei* que ele não existe."

Sentamo-nos em um pátio, debaixo de uma árvore. O vento balançava de leve as folhas.

"Eu precisava saber se as coisas de nossa juventude existiram de fato ou são um produto de minha imaginação. Nem Roberto, nem Mangonga, Félix, Ulpiniano-o-Meigo puderam me ajudar. Só resta você, Najuba, perdão, Euzébio. Frei Euzébio. Eu preciso saber, isso está me botando maluco."

Então eu perguntei a Najuba, frei Euzébio, se ele se lembrava da morte de Ulpiniano-o-Meigo, do voo de Roberto, das ligações de Mangonga com as coisas diabólicas. Ele se lembrava de tudo.

"Me lembro, me lembro", ia dizendo ele docemente.

Você sabe que eu falei com o Roberto e ele pareceu não lembrar de nada."

"Ninguém gosta de se lembrar dos pecados da infância."

"Pecados?"

"Ele roubou o teco-teco, não roubou?"

"Que teco-teco?"

"O avião que ele roubou no aeroclube para provar que era capaz de dirigir avião sem nunca ter aprendido."

"Mas não me referia a isso. Eu nem sabia que ele havia roubado um teco-teco. Eu quis dizer o dia que ele voou, o corpo dele saiu do chão, vinte ou mais centímetros. Você não se lembra disso? Levitação, ele estava fazendo experiência de levitação e suspendeu o próprio corpo no espaço."

Najuba, frei Euzébio, olhou-me constrangido. Não, ele não se lembrava disso. E da morte de Ulpiniano-o-Meigo? Ele se lembrava, mas tinha sido tudo uma brincadeira, não é? ninguém podia ressuscitar. Mas foi um caso de catalepsia, como em qualquer outro milagre, respondi eu. Najuba ficou em silêncio. Ele não se lembrava de nada, essa é que era a verdade, ele não se lembrava de nada, não queria, ou não podia, se lembrar de nada, rompera com o passado, o chumbo do pênis, as crueldades da juventude, ele queria deixar isso tudo para trás, construir sua vida nova de santo. Que adiantava eu perguntar se ele se lembrava de uma coisa que ele queria se esquecer? Quem queria se lembrar era eu, que não queria construir nada de novo.

11 — O pensamento da gente é a coisa mais rápida que existe. Tenho a impressão de que não tenho mais nenhuma

missão a cumprir, de que minha vida está sem projeto a realizar. Sinto, agora, uma enorme preguiça e deixo-me ficar ouvindo os sons da noite. Alguns vêm da rua, mas a esses eu não dou importância. Os sons realmente graves vêm de dentro da casa. A maioria não é identificável. Fantasmas? Acabo de ouvir um rangido, mas ele não me deixa apreensivo; entrego-me às baratas. Ladrões? Estou tão cansado que já não quero saber de nada. Que roubem tudo. Que me matem; assustar já não me assustam. Uma porta bateu. Fico com ouvidos de tuberculoso: ouço o tique-taque do relógio de pulso na mesa da cabeceira. Fechei as portas? Não quero mais pensar nisso. Passei a vida pensando em fechar portas. De qualquer maneira, apesar da enorme dúvida, sei que as fechei. E também janelas, basculantes, tudo. Tudo fechado. Mas ouço um barulho diferente. Talvez pés levíssimos levando um corpo franzino, e um outro coração batendo, e outro pulmão respirando. Não pensarei mais no passado. Sei.

Estreia consagradora

Sérgio Augusto

Embora o conto e a crônica fossem, na época, os dois gêneros literários com o maior número de adeptos no Brasil, o sucesso alcançado por *Os Prisioneiros*, nos últimos meses de 1963, pegou de surpresa o mercado editorial. Afinal de contas, seu autor era um outsider, conhecido apenas por um pequeno círculo de amigos, e sua editora, a GRD, de Gumercindo Rocha Dorea, um selo de pequeno porte e pouco tempo na praça.

"É a grande revelação do ano", proclamou o exigente Fausto Cunha, um dos muitos críticos que, semanas depois, elegeriam a primeira coletânea de contos de Rubem Fonseca um dos livros mais expressivos da temporada, de resto marcada por duas outras novidades, no âmbito da narrativa curta: o paulistano João Antônio (*Malagueta, Perus e Bacanaços*) e a amazonense Astrid Cabral (*Alameda*), esta também revelada pela GRD. José Edson Gomes foi mais longe: "É a melhor estreia no conto nos últimos tempos", aclamou o romancista, em artigo publicado na *Tribuna da Imprensa* e reproduzido na revista *Leitura*.

No país da crônica e dos contos, 1963 foi um ano sem grandes vôos na área da poesia (única exceção: *Estrela da Tarde*, de Manuel Bandeira), de notável participação feminina na seara romanesca, com destaque para Lygia Fagundes Telles (*Verão no Aquário*), Nélida Piñon (*Madeira Feita

Capa das edições de 1963, com ilustração de Zeca Fonseca, e de 1979.

Cruz) e Maria Alice Barroso (*Um Simples Afeto Recíproco*), e de pelo menos duas contribuições valiosas para a consolidação da crônica de jornal como uma arte ficcional de primeira grandeza: *A Casa Demolida* (de Sérgio Pôrto) e *Da Arte de Falar Mal* (de Carlos Heitor Cony). Também foi naquele ano que Jorge Mautner lançou seu mais festejado romance, *Kaos*, premiado com o Jabuti.

Mas, a partir de outubro de 1963, todas as luzes pareciam voltadas unicamente para Rubem Fonseca. Ninguém no Brasil escrevia daquele jeito: vibrante, criativo, inquieto, desconcertante, incômodo, realista, surrealista, cético, cruel—foram pródigos em adjetivos como estes os seus entusiastas de primeira hora. "Um escritor que traz a literatura no sangue", saudou Wilson Martins, no Suplemento Literário de *O Estado de S. Paulo*, ungindo Rubem Fonseca como um renovador do conto brasileiro, "no momento mesmo em que estaríamos inclinado a considerá-lo esgotado."

Não houve quem resistisse aos seus sortilégios narrativos e aos seus "prisioneiros": prisioneiros de si mesmos e de suas convicções — do ginasta teso que, na primeira história, prefere vender seu sangue a prostituir-se aos quatro velhos companheiros de circo que se reencontram de forma trágica, no conto que fecha a coletânea. Entre *Fevereiro ou Março* e *Os Inimigos*, nove outras fascinantes ficções: a autópsia de uma mulher brutalmente assassinada; o orwelliano interrogatório de um renitente conformista por psicólogos de uma instituição anticonformista; um baile de máscaras de consequências tragicômicas; a insólita entrevista de um recenseador com um suicida; uma sessão psicanalítica cujo cliente sofre de misteriosas síncopes. A essa já rica fauna de personagens imaginários, Rubem Fonseca acrescenta a figura real de Henri Landru, o estrangulador serial de viúvas francês retratado no cinema por Chaplin e Claude Chabrol.

Assis Brasil foi o primeiro a brindar a estreia de Rubem Fonseca, na edição de 18 de outubro de 1963 do *Jornal do Brasil*. Exaltou-lhe a fartura de recursos estilísticos, a maestria na confecção de diálogos, e comparou sua morbidez à de Kafka, seu lado satírico a James Thurber e seu penchant fantástico a Edgar Allan Poe. Não revelou qual das narrativas preferia, ao contrário de seus colegas de ofício, que se dividiram entre *Duzentos e Vinte Cinco Gramas*, *O Agente*, *O Inimigo*, *Os Prisioneiros* e *Teoria do Consumo Conspícuo*, esta inspirada pela famosa tese do "consumo conspícuo" da burguesia, desenvolvida por Thornton Veblen, no final do século 19. Para Rubem Fonseca, uma operação plástica desnecessária também é uma forma de ostentação.

Em resenha para a revista *Cadernos Brasileiros*, Maria Alice Barroso não escondeu sua preferência por *O Inimigo*, para ela, o conto "mais ambicioso e medido" da coletânea; *O Agente*, pela excelência estrutural; e *Fevereiro ou Março*, "o melhor exemplo do que possa vir a ser a futura ficção

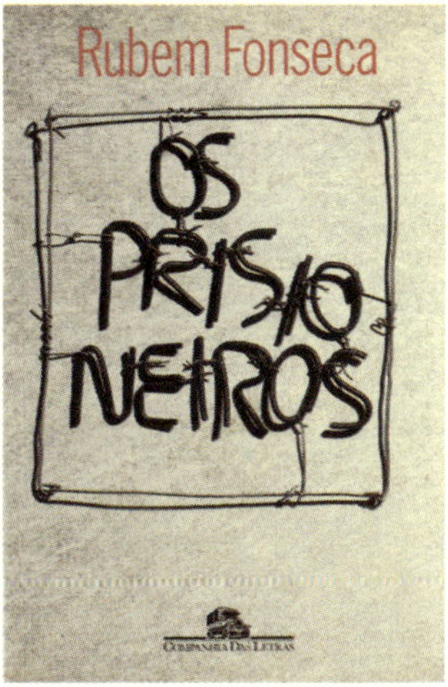

Capas da edição brasileira de 1989 e da edição espanhola, do mesmo ano.

deste autor, como temática e domínio de técnica, numa expressiva precisão de cortes"— e também pela incorporação de "um excelente tipo à galeria de personagens da literatura brasileira: o atleta vagabundo, frequentador das academias de boxe, portador de uma ética toda sua."

Wilson Martins optou, igualmente, por *O Inimigo*, o que melhor, a seu ver, "serviria para caracterizar a maneira do autor e o seu mundo particular". Nele, segundo o crítico, Rubem Fonseca "recria o seu personagem típico, situado numa fronteira indecisa entre a normalidade e a loucura; e esse homem procura recuperar o tempo perdido, não pela literatura ou pela arte, mas na vida. Saindo à procura dos seus antigos companheiros de colégio, verifica que nenhum deles coincide com as suas próprias lembranças, nem mesmo com a biografia que um dia possuíram; todos parecem definitivamente desligados de um passado que somente para o protagonista conserva, ainda, algum sentido."

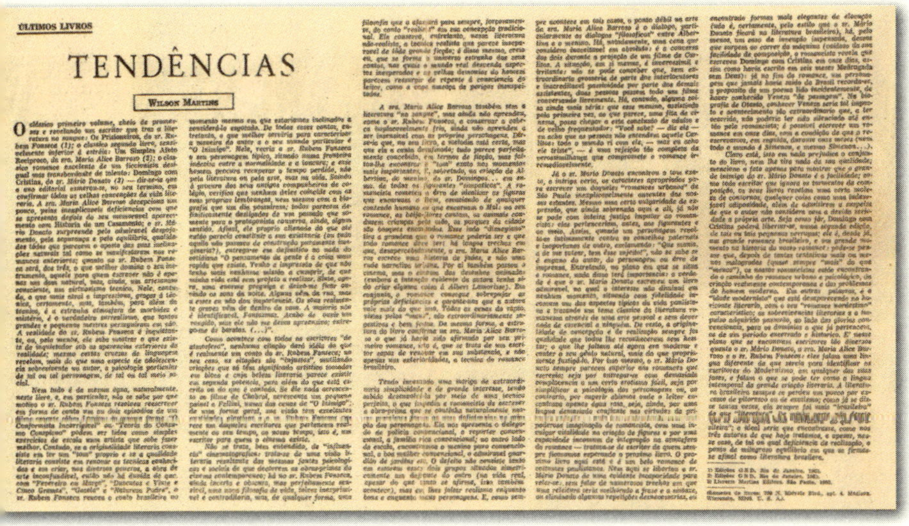
ÚLTIMOS LIVROS

TENDÊNCIAS

WILSON MARTINS

Fac-símile da coluna de Wilson Martins, publicada no ano seguinte à publicação de *Os prisioneiros*.

Tendências

Wilson Martins

O clássico primeiro volume, cheio de promessas e revelando um escritor que traz a literatura no sangue: *Os Prisioneiros*, do sr. Rubem Fonseca; o clássico segundo livro, sensivelmente inferior à estreia: *Um simples afeto recíproco*, da sra. Maria Alice Barroso; o clássico romance excelente de um ficcionista desigual mas transbordante de talento: *Domingo com Cristina*, do sr. Mário Donato — dir-se-ia que o ano editorial esmerou-se, no seu término, em confirmar todas as velhas convenções da vida literária. A sra. Maria Alice Barroso decepciona um pouco, pelas inexplicáveis deficiências com que se apresenta depois do seu memorável aparecimento com *História de um casamento*; o sr. Mário Donato surpreende pelo admirável despojamento, pela segurança e pelo equilíbrio, qualidades todas que parecem o oposto das suas inclinações naturais tal como se manifestaram nos romances anteriores; quanto ao sr. Rubem Fonseca será, dos três, o que melhor domina o seu instrumento, aquele para quem escrever não é apenas um dom natural, mas ainda, um artesanato consciente, um virtuosismo técnico. Nele, contudo, o que mais atrai e impressiona, graças à técnica, certamente, mas também, para além da técnica, é a estranha atmosfera de morbidez e mistério, é o verdadeiro surrealismo, que tantos grandes e pequenos mestres perseguiram em vão. A realidade do sr. Ruben Fonseca é inquietante, ou, pelo menos, ele sabe mostrar o que existe de inquietador sob as aparências exteriores da realidade; mesmo certas cruezas de linguagem revelam, mais do que uma espécie de adolescência sobrevivente no autor, a psicologia particular de tal ou tal personagem, de tal ou tal meio social.

Nem tudo é da mesma água, naturalmente, neste livro, e, em particular, não se sabe por que motivo o sr. Rubem Fonseca resolveu reescrever em forma de conto um ou dois episódios de um filme recente sobre Landru;

da mesma forma, "O conformista incorrigivel" ou "Teoria do Consumo Conspícuo" podem ser tidos como simples exercícios de escala num artista que sabe fazer melhor. Contudo, se a originalidade literária consiste em ter um "tom" próprio e se a qualidade literária consiste em renovar as técnicas conhecidas e em criar, nos diversos gêneros, a obra de arte inconfundível, então não há dúvida de que com "Fevereiro ou março", "Duzentos e vinte e cinco gramas", "Gazela" e "Natureza-podre", o sr. Rubem Fonseca renova o conto brasileiro no momento mesmo em que estaríamos inclinados a considerá-lo esgotado. De todos esses contos, entretanto, o que melhor, serviria para caracterizar a maneira do autor e o seu mundo particular é "O inimigo". Nele, recria o sr. Rubem Fonseca o seu personagem típico, situado numa fronteira indecisa entre a normalidade e a loucura; e esse homem procura recuperar o tempo perdido, não pela literatura ou pela arte, mas na vida. Saindo à procura dos seus antigos companheiros de colégio, verifica que nenhum deles coincide com as suas próprias lembranças, nem mesmo a biografia que um dia possuíram; todos parecem definitivamente desligados de um passado que somente para o protagonisata conserva, ainda, algum sentido. Afinal, ele próprio alienado do que até então parecia constituir a sua existência (ou tudo aquilo não passava de construção puramente imaginaria?), entregar-se em definitivo ao nada do cotidiano. "O pensamento da gente é a coisa mais rápida que existe.

Tenho a impressão de que não tenho mais nenhuma missão a cumprir, de que minha vida está sem projeto a realizar. Sinto, agora, uma enorme preguiça e deixo-me ficar ouvindo os sons da noite. Alguns vêm da rua, mas a esses eu não dou importância. Os sons realmente graves vêm de dentro da casa. A maioria não é indentificável. Fantasmas. Acabo de ouvir um rangido, mas ele não me deixa apreensivo; entrego-me as baratas (...)."

Como acontece com todos os escritores "de atmosfera", nenhuma criação dará ideia do que é realmente um conto do sr. Rubem Fonseca; no seu caso, as citações são "injustas", mutilando criações que só têm significado artístico tomadas em bloco e cuja beleza literária parece existir em segunda potência, para além do que está escrito ou do que é contado. Se ele nada acrescenta ao filme de Chabrol, acrescenta um pequeno painel a Fellini, numa das cenas de "O inimigo"; de uma forma geral sua visão tem excelentes qualidades plásticas e o sr. Rubem Fonseca parece um daqueles escritores que pertencem realmente ao seu tempo, ao nosso tempo, isto é, um escritor para quem o cinema existe.

Não se trata, bem entendido, de "influência" cinematográfica: trata-se de uma visão literária resultante das mesmas fontes psicológicas e sociais de que decorrem as obras-primas do cinema contemporâneo; há no sr. Rubem Fonseca, ainda incerta e obscura, mas perfeitamente sensível, uma nova filosofia de vida, talvez inexprimível e contraditória, mas, de qualquer forma, uma filosofia que o afastará para sempre, forçosamente, do conto "realista" em sua concepção tradicional. Ele conserva, entretanto, nessa literatura não-realista, a técnica realista que parece inseparável de toda grande ficção; é disso mesmo, creio eu, que se forma o universo estranho dos seus contos, nos quais o mundo real desvenda aspectos inesperados e os velhos demônios do homem parecem ressurgir de repente à consciência do leitor, como a vaga ameaça de perigos insuspeitados.

[...]

Em outras palavras, é a "idade modernista" que está desaparecendo no horizonte literário, com seu "romance nordestino" característico; as sobrevivências literárias e o impulso adquirido passarão, ao lado das glórias convencionais, para os domínios a que já pertencem, os de um período encerrado e histórico. É nesse plano que se encontram escritores tão diversos quanto o sr. Mário Donato, a sra. Maria Alice Barroso e o sr. Rubem Fonseca: eles falam uma língua diferente da que servia para identificar os escritores do Modernismo, em qualquer das suas fases, e falam o que se pode ter como a língua intemporal da grande criação literária. A literatura brasileira sempre se perdeu um pouco por excesso de pitoresco ou de exotismo; como já se disse tantas vezes, ela sempre foi mais "brasileira" do que "literatura". De minha parte, não desejo que se torne agora mais "literatura" do que "brasileira"; o ideal seria que encontrasse, como nos três autores de que hoje tratamos, e apesar, nesse caso, de tal ou qual deficiência de realização, o ponto de milagroso equilíbrio em que se firmasse afinal como literatura brasileira.

O Estado de S. Paulo, 1º de fevereiro de 1964

O autor

Contista, romancista, ensaísta, roteirista e "cineasta frustrado", Rubem Fonseca precisou publicar apenas dois ou três livros para ser consagrado como um dos mais originais prosadores brasileiros contemporâneos. Com suas narrativas velozes e sofisticadamente cosmopolitas, cheias de violência, erotismo, irreverência e construídas em estilo contido, elíptico, cinematográfico, reinventou entre nós uma literatura noir ao mesmo tempo clássica e pop, brutalista e sutil — a forma perfeita para quem escreve sobre "pessoas empilhadas na cidade enquanto os tecnocratas afiam o arame farpado".

Carioca desde os oito anos, Rubem Fonseca nasceu em Juiz de Fora, em 11 de maio de 1925. Leitor precoce porém atípico, não descobriu a literatura (ou apenas o prazer de ler) no *Sítio do Pica-pau Amarelo*, como é ou era de praxe entre nós, mas devorando autores de romances de aventura e policiais de variada categoria: de Rafael Sabatini a Edgar Allan Poe, passando por Emilio Salgari, Michel Zevaco, Ponson du Terrail, Karl May, Julio Verne e Edgard Wallace. Era ainda adolescente quando se aproximou dos primeiros clássicos (Homero, Virgílio, Dante, Shakespeare, Cervantes) e dos primeiros modernos (Dostoievski, Maupassant, Proust). Nunca deixou de ser um leitor voraz e ecumênico, sobretudo da literatura americana, sua mais visível influência.

Por pouco não fez de tudo na vida. Foi office boy, escriturário, nadador, ajudante de mágico, revisor de jornal, comissário de polícia — até que se formou em Direito, virou professor da Escola Brasileira de Administração Pública da Fundação Getúlio Vargas e, por fim, executivo da Light do Rio de Janeiro. Escritor publicamente exposto, só no início dos anos 1960, quando as revistas *O Cruzeiro* e *Senhor* publicaram dois contos de sua autoria.

Em 1963, a primeira coletânea de contos, *Os prisioneiros*, foi imediatamente reconhecida pela crítica como a obra mais criativa da literatura brasileira em muitos anos; seguida, dois anos depois, de outra, *A coleira do cão*, a prova definitiva de que a ficção urbana encontrara seu mais audacioso e incisivo cronista. Com a terceira coletânea, *Lúcia McCartney*, tornou-se um best-seller e ganhou o maior prêmio para narrativas curtas do país.

Já era considerado o maior contista brasileiro quando, em 1973, publicou seu primeiro romance, *O caso Morel*, um dos mais vendidos daquele ano, depois traduzido para o francês e acolhido com entusiasmo pela crítica europeia. Sua carreira internacional estava apenas começando. Em 2003, ganhou o Prêmio Juan Rulfo e o Prêmio Camões, o mais importante da língua portuguesa. Com várias de suas histórias adaptadas ao cinema, ao teatro e à televisão, Rubem Fonseca já publicou 11 coletâneas de contos, sete romances e três novelas.

Este livro foi composto em Minion Pro 11/17 e
impresso pela Ediouro Gráfica sobre papel pólen bold
$90g/m^2$ para a Agir em outubro de 2009.